JN072466

にわか〈京都人〉宣言

東京者の京都暮らし

校條剛

MENJO, Tsuyoshi

イースト新書

123

はじめに

〈一つの妖怪がヨーロッパに出現している――共産主義という妖怪が。〉（著者訳）というのはご存じ、マルクスとエンゲルスによる『共産党宣言』の冒頭の一行だ。

久しぶりに京都を訪れ、赴任《ふにん》するはずの大学へ向かうバスの窓から沿道を眺めたときに目にしたのが、スーパーマーケット「FRESCO」の看板だった。

京都らしからぬ、このラテン語系らしき店名が京都市中にくまなく繁殖していることを知るのに、さほどの時間は必要なかった。コンビニより大きいが、一般のスーパーよりも小さく、店舗も居抜きで入ったのか、それぞれ外観が違っている。その数の多さは、バスのなかからも十分に認識できた。私の頭に、『共産党宣言』の冒頭の文句が自然に浮かんできたわけである。

〈一つの妖怪が京都に出現している――フレスコという妖怪が。〉少し誇張しすぎかもしれないが、それほどの驚きを感じた。一体いかなる流行なのだろうか。古都に蔓延《まんえん》する正体不明の横文字スーパー。東京で話題に上ったことがないのが不思議なくらいだ。

だが素直に考えると、日本古来の由緒《ゆいしょ》正しき「正統」が中心に位置していながら、一方ではエキセントリックな趣向を生み、共産党支持が根強い京都らしい風景なのかもしれなかった。


東京都日野市の自宅で、昼食後のエルゴバイクを漕《こ》いでいるときが始まりだった。糖尿病と診断されて四年目、昼食後には早足《はやあし》の散歩をするか、ジムに行って身体をいじめるか、このときのように室内自転車でペダルを三〇分漕ぐか、外出先でない限りはそういう毎日を送っていた。

妻となんということのない会話をしながらペダルを回しているときに、携帯が鳴った。私立の芸術大学の教授にならないかという誘いだった。一教員ではなく、学科の長に就任ということだったが、東京ではなく、なんと京都の大学だという。その電話が京都暮らしの開幕ベルとなったのだ。

そのとき、私の年齢は六四歳。出版社の新潮社を定年で退職してから、日本大学芸術学部の非常勤講師、朝日カルチャーセンターの創作講座講師、電子文芸雑誌の編集長などをしながら、執筆に勤《いそ》しんでいた。大学の専任教授になることを一〇年以上前から目指していたが、年齢的にも諦め始めていた時期だった。そういうときに舞い込んだこの誘いは、嬉しくはあったが、京都となるとやはり即答は避けるしかない。

ところが、京都に引っ越す必要はなく、毎週新幹線で通い、週三日の勤務、宿泊はホテルという働き方でいいと好条件であった。年俸は決して高額ではないが、定年後の仕事と考えれば、不満を言える額ではなかった。新幹線代、ホテル代は、もちろん大学持ちである。それらを知ったあとは、OKの返事以外は考えられない。

だが、実際に勤務してみると、専任教員の仕事は今や高校教員に近く、三日どころか五日、六日続けて京都に滞在することなどざらであった。ゼミのある金曜日など、ゼミ生とコンパを開きたいと考えても、その日のうちに東京に戻るためには、授業後すぐに大学をあとにする必要があった。必要最小限の経費しか大学は出してくれないから、もう一泊すれば自費で賄《まかな》うしかない。

京都滞在中に市内の名所を観光するゆとりもなく、あたふたと帰り支度《じたく》をし、混んでいる夜の新幹線に乗り、三人席の真ん中のシートに座って、文字通り肩身を狭くして東京に戻る。地元駅では就寝時間を過ぎた深夜に、妻に車で迎えに来てもらわなくてはならない。

文部科学省が前期・後期一五コマの授業を義務化していたので、前期の授業は七月いっぱいまでかかり、八月も成績付けやＡＯ入試でお盆直前まで大学に縛り付けられ、以前の大学教員のような優雅な夏休みなど、「日本昔ばなし」状態だったといっていいだろう。

そういう毎週の慌ただしさと、学科の仕事がどうしても中途半端になることの申し訳なさで、ほぼ一〇カ月が過ぎた時点で、京都に単身住んでみようと決意したのである。

それから大学を退くまでの四年間は、めったに日野の自宅に戻ることはなく、食材の買い出し、料理、皿洗い、洗濯、洗濯物干し、掃除その他の雑事を、たまに妻が訪れるときを除いて、全部自分で行なった。まあ一人で住むのだから当然ではあるが、実は私は一人で住むのは生まれて初めてで、洗濯をしたことすらこれまで一回もなかったのだ。

私が京都の大学の仕事を得て、京都に住むことにしたと話すと、知り合いのほぼ全員が羨《うらや》ましがった。「いいですねー」と皆さんが嘆息しながら言うのである。「日本古来の町並みが美しく、有名なお寺や神社に取り囲まれ、華やかなお祭りに彩られ、日本最高レベルの和洋食が味わえる桃源郷」というのが、大方の皆さんが描いている京都のイメージであった。

「そうだ 京都、行こう。」という広告のコピーにあるように、京都は非日常の理想空間だと、東京の人間をはじめ、たいていの日本人が憧れている。いや、日本人だけではない。インバウンド、すなわち京都市に溢《あふ》れかえっている外国人観光客たちは、アメリカ人も中国人も、京都を世界のなかでも特別に選ばれた町だと考えている。日本人同様、そこに行けば、日本の最美を凝縮した世界に浸ることができると思い込んでいるのだ。

私は京都に住むことになる前から、京都とは浅からぬ縁があった。中学、高校の修学旅行は京都であったし、出版社の文芸編集者になってからは、さらに深くこの古都と親しむことになる。個人の旅行でも、何度もこの地を訪れ、家族や友人と八坂《やさか》神社、壬生寺《みぶでら》、北野天満宮、化野念仏寺《あだしののねんぶつじ》、仁和寺《にんなじ》、伏見稲荷大社、醍醐寺、永観堂禅林寺、東寺、小倉山、寂光院《じゃっこういん》など、挙げていけば切りがないほど多くの名所・寺社を巡り歩いた。町なかでは祇園《ぎおん》、木屋町《きやまち》、四条河原町、先斗町《ぽんとちょう》、新京極……。

しかし、はっきりいって、私が「京都」に過度の思いを抱くことはなかった。京都に暮らしたいと憧れたことは、一度もなかったと思う。

京都に来ると、宿泊は新潮社時代から、「からすま京都ホテル」と決まっていた。そこから四条通をしばらく歩いて、河原町通を渡り、四条大橋に達する。東南には南座、西南には東華菜館の由緒ある建物がどっしりと座って見える。

橋の真ん中から鴨川《かもがわ》を見下ろすと、いつも変わらぬ景観が広がっている。水際の土手をそぞろ歩いたり、座り込んだりして水の流れに目を向けている老若《ろうにゃく》のカップルの姿。目を上げると、上流はるか遠くに北山連山が居並んでいる。夏場には、鴨川の西側に軒《のき》を連ねる料亭が床《ゆか》を張り出して、着物姿の女性たちが、暑いなんてどこの国の話かと、ビールのグラスを傾けている。

「ああ、京都だな」という感動は確かにあった。だが、その気持ちを分析すると、「また戻ってきたな」というほどのことではない。「同じ風景だな」という程度のことだったと思う。私にとって、京都は慣れ親しんでいる一観光地に過ぎなかったのである。

京都に住むようになって心境が変わったことの一つは、四条大橋の存在感である。京都に住んだ四年間、私が四条大橋を渡ったのは、三条大橋の一〇分の一くらいに減っていただろう。住人としての私の京都は、自然に四条大橋から三条大橋や御池《おいけ》大橋に移っていったのである。

それは、「私の京都」が観光客の聖地・祇園から、地元民寄りの寺町通や木屋町に変わってきたということと歩調を合わせている。さらに、生活の場である二条通や、仕事場である左京区周辺にシフトしたという意味でもあるだろう。

そういうわけで、京都を何度も訪れていたにもかかわらず、決して京都に憧れてはおらず、偶然京都の中心部・中京区《なかぎょう》に住むことになった「にわか京都人」の生活と意見を著《あら》わしたのが、本書ということになろう。

晩年になって憧れの京都に住まいを移したという人たちの話題を、最近よく耳にするようになった。だが、京都の風土と人に畏《おそ》れを抱いていて、移住をためらっている方も多いらしい。そういう方々に助言を求められれば、一言で済む。

「住んでみなはれ」

人生は一度きりしかない、何をためらうことがあろうか。

にわか〈京都人〉宣言　目次

第二章　洛中で暮らしてみたら　043

第三章　文芸編集者としての京都　083

第四章　住んでわかった「食」事情

地図作成：マップデザイン研究室
掲載写真：著者撮影

第一章　京都暮らしが始まった

洛中に住んでも、家賃は高くない

京都に住んでいるのに、私がほとんど外食をしていないと知ると、「せっかく京都にいるのにもったいない」と残念がる人が多いが、糖尿のことだけが理由ではなく、京都で一流の食事をしようと思えば、お金がいくらあっても足りないからでもあった。

一人一万円は当たり前、二万〜四万円は覚悟しなければというのが、割烹《かっぽう》や懐石《かいせき》料理だ。単身赴任というのは本宅との二重生活なので、経費が二倍近くかかると考えていい。基本的な経費だけで、もらう給料のすべてがその月に消えていくのである。とてもじゃないが、行きつけの割烹など持てる身分ではなかった。

京都に部屋を借りて住むことを決めた当座の話をしよう。最初に決めるべきは、住まいのことであった。場所、そして広さだが、選択肢としてはワンルームしかありえなかった。2DKであればもっと生活はしやすいかもしれないが、借り賃が当然高くなる。ワンルームなら、中心部でも七万円くらいだが、2DKだとプラス二万円は覚悟しなければならない。もちろん、東京の都心部ではワンルームでも八万円はくだらないだろうから、京都はずっと安くはある。

次に勤め先の京都造形芸術大学の近くか、交通の便のいい市の中心部にするかである。

何しろ、鉄道線が少ない京都の足の基本はバスである。京都駅から芸大のある「上終町《かみはてちょう》」まで辿《たど》り着くには、混雑時には六〇分かかってしまう。どんなに早くても四〇分は必要であるという、そういう場所に芸大はある。

市役所を中心とする都心部から芸大まで多少の距離はあるが、バスで二〇分強だろうか。バス路線の難所は四条通、三条あたりまでなので、私が乗車する丸太町からの道路は、空《す》いているという利点もある。同じ都心に住むにしても、御池通から南、京都で最も繁華な地域は渋滞地域であった。私の住まいは都心ではあったが、最も混雑する地域からは外れていたのだ。

さらに、電動自転車をこの地で買い求める気持ちもあったので、大学へは基本自転車で通うことができる距離であればよかった。京都中心部から北白川の大学まで、自転車通勤は十分可能だった。

今述べたように、京都は東京の都心部と比べると、繁華な中心部であっても家賃は高くない。妻が時折やってくるときにも地下鉄が使える、便のいい場所がいいと考えた。

目標に定めたのは、御所の南端、丸太町通からさらに南の地区、いわゆる御所南の地区であった。京都でも一番の中心部である中京区、つまり昔の言い方では洛中《らくちゅう》と呼ばれる地域である。この地区は、小中一貫教育の御池中学校があるので、教育に熱心な家庭では垂涎《すいぜん》の地区でもあるが、新しい分譲マンションは価格の高騰《こうとう》が伝えられていて、お金持ちの中国人しか買えないという寂しい話も伝わってきた。

それはともかく、かつては商売をやっていた地主たちが銀行と組んで、広くもない土地をワンルームマンションに建て替えて、自分たちは最上階に住むという形態のマンションがやたらと増えている。そういうマンションの一軒に案内され、その四階四〇四号を即決したというわけだ。北向きが気にはなったが、夏場の暑さを計算に入れると、北向きはむしろいいのかもしれなかった。

部屋が綺麗《きれい》で立地も気に入ったので、即断だった。住所は京都市中京区二条通柳馬場西入ル晴明町《せいめいちょう》である。柳馬場の読みは「やなぎのばんば」である。

次は、家電製品を揃《そろ》えた。冷蔵庫、洗濯機、小さな衣装ダンス、電子レンジ、トースターの五点は、学校近くのリサイクルショップで一気買いした。大学町・京都のいいところは、学生が四年間使った家電類が、こうしたショップに豊富に揃っていることだ。リサイクルだから、これら全部で五万円に届かない。

電動自転車は、京都タワーの真後ろの京都ヨドバシで購入。この買い物が単体では一番高かった。一〇万円以上したが、まあ、これは東京に戻っても使えるから、無駄な投資ではなさそうだ。

ヨドバシから、自宅マンションまで乗って帰ったが、この町のメイン街道である烏丸《からすま》通から一本西寄りの道を一直線に北上し、二条通に出たら東に曲がってしばらく走ると、マンションまで来てしまう。京都は道路が東西南北はっきりと敷かれているので、楽ちんなのはご想像通り。

東京でもホームセンターとなると、都心部から離れた郊外にしか出店していない。京都でもそれは同じで、私が利用したのは、川端通を北上し、出町直前にあるケーヨーD2である。ユニクロ、無印良品は河原町三条にあるし、LOFTも今や河原町通のランドマークになっているほどで、日用品を買うのに不自由することはない。

もういらないよと言いたくなるほど多いのは、ドラッグストアである。スギ薬局、ココカラファイン、ダイコクドラッグ、マツモトキヨシ、サンドラッグといった全国チェーンが、インバウンドの急増とともに出店速度を速めた印象がある。

テレビは置かなかった。NHKの受信料を払わなくていいし、新聞にくまなく目を通すだけで相当な時間が取られる。DVDを観るにはパソコンを使えばいい。テレビがなくて残念なのは、テレビ東京の「ガイアの夜明け」が見られないことくらいだった。

朝起きると、まずは朝食の用意をしながら、コンポで唯一入るFM局放送を聴く。FM京都「α-MORNING KYOTO」である。「おはようございます、佐藤弘樹です」と月曜日から金曜日までの五日間は、佐藤さんが呼びかけてくれる。

七時から一〇時までの三時間、この方のトークと合間のミュージックを、炊事や洗濯などしながら聴く。大学に出発するのが一〇時になることも多いので、よく最後まで聴いていた。

穏やかな低めの声は、一日の始まりの時間に相応《ふさわ》しく、政治や世間の風潮への柔らかそうに見えて結構厳しい批判、得意な英語のワンポイントレッスンなど、単身生活の朝を豊かなものにしてくれる内容だった。東京に戻ったら残念なことは、この放送が聴けなくなることだと、いつも考えていたほどである。

しかし、この本を書くためにネット検索をして、衝撃的な事実がわかった。佐藤さんが亡くなっていたのである。私が京都を去ったのが、二〇一九年四月九日。コンポを引っ越し荷物にしまうまで、佐藤さんの声を聴いていた。それからふた月後の六月三日に、肺がんのために亡くなられたという。あまりのショックで言葉も出なかった。四年間の「声の贈り物」に感謝するばかりである。

謎のスーパー「FRESCO」はどこからやって来たのか

スーパーマーケットが、私にとって命綱である。二〇一〇年に糖尿病を言い渡され、すぐに食事の改善と、筋トレやウォーキングの励行《れいこう》で数値を正常値に下げたものの、体質自体は戻らず、炭水化物と砂糖の摂取を制限しないと、たちまち血糖値が跳ね上がる。いったん糖尿病になったら治らないという常識を覆《くつがえ》したかったが、やはり治るということは難しいのだと諦めが生じたころの京都単身生活だった。

糖尿の中老の男が一人暮らしをするということは、すなわち食事は自炊に限るという結論になる。糖尿の人間の食事として、最初に多量に食べるのは各種の野菜である。野菜でなければならない。それからタンパク質だが、主に魚になる。野菜を、しかもかなりの量を摂《と》るとなると、外食ではまず無理だ。

ファミレスでは選択肢が多く、比較的健康な食事も可能だが、京都市中心部でファミレス通いをするのはなかなか面倒である。すぐ近くにないことと、名前の通りファミリー向けなので、一人客向けのカウンター席がない。気遣い不要の自炊がやはり一番なのだ。町で暮らす京都人と同じように、スーパーマーケットにほぼ毎日食材を仕入れに行っていた。コンビニでは材料が揃わないので、日々通勤コース途中のスーパーに立ち寄る生活となった。冒頭に書いた「FRESCO」のほかに、「生鮮館なかむら」「LIFE」「MISUGIYA」、オーガニックが売りの「ファーマーズ」などが、普段訪れるスーパーになり、そのなかでも丸太町と御池中学前のFRESCOは訪れる機会が最も多い店舗となった。

FRESCOについて、さらに語ろう。このスーパーの二〇一九年二月現在の店舗数は、一一四店だという。京都、大阪、滋賀、兵庫の四県でだが、神奈川、東京にも進出してい て、「フレスコ ベンガベンガ」という名で七つある。広い用地にしか大規模スーパーは出店できないが、「コンビニとスーパーの中間を狙う」というこの企業は、ちょっとした空きビル、空きスペースにいとも簡単に出店してしまう。

従って、京都市の中心部でスーパーとして存在するのは、ほぼFRESCOだけと言っていい。「ドミナント戦略」という集中方式を採用しているから、比較的狭い地域に二店舗、三店舗という具合に展開している。

このスーパーがどこから現われたかという疑問に、京都人の誰もが答えてくれなかった。

特に料理人たちには評判が悪いようで、寺町通の気楽な和食店の親父《おやじ》さんが、はっきりと「嫌いだ。まずいから」と吐き捨てるように言ったことがある。

京都の人しか知らないスーパーであるにもかかわらず、プロの料理人などからは嫌われているということは、京都人が言う「よそさん」の範疇《はんちゅう》に入るのかなという疑問を私にもたらした。

あとでも述べるが、京都人は「よそさん」、つまりよそ者には表だって抵抗はしない。しかし、抵抗心を見せないだけで、心の底で歓迎していないとよく言われる。

「FRESCO」御池中学前店

それを考えると、FRESCOに対しても同じ気持ちでいるのだろうか。答えは、どうやら否《いな》であるようだ。というのは、FRESCOは山科《やましな》の公設市場に入っていた個人商店が何軒か固まって、独立を果たした店だという。つまり、「よそさん」ではなく、身内だったのだ。もっとも、井上章一『京都ぎらい』（朝日新書）によれば、東山を越えた先の山科は京都ではないと考える洛中人がいるそうだが。

ＦＲＥＳＣＯが京都人から少し煙たがられて見えるのは、たぶんこの企業が秘密主義であるからだろう。というのも、これほどたくさんの店舗を構えているのに、東京の人間にはまったく未知な存在であることの不思議さから、この会社「ハートフレンド」の広報に電話を入れてみたのである。すると、言葉付きは丁寧ながら、はっきりと取材の断りだった。裏に何かあると思わざるをえなかったのだが、知り合いの新聞記者に資料を提供してもらったところ、今述べたように、出自が山科であることが判明した。後ろ暗い点はなかったのだ。では、どうしてこの会社は、通販大手「アマゾン」のような秘密主義を取っているのだろうか。勘ぐれば、それが京都風だとも思える。目立つ発言は、いらぬ波風を立てるとでも感じているのではないだろうか。

今の京都人にとって、身内であるかどうかは重要な要素ではなくなってきている。昔の「京都人」はほとんどいなくなっていて、食料品を買うのも、個人商店とのつながりが薄くなり、たいていの生活者はスーパーで買い物をする。

つまり、近所で早く、安く買えればそれでいいのであり、スーパーの生まれ育ちなど、どうでもいいご時世になっているのである。住人たちの地縁的な結びつきは弱くなり、よそさんの店で買おうが、そんなことに構っていられなくなっている。

左京区北白川と川端東一条のＬＩＦＥではよく買い物をしたが、大型店ならではの品揃えの良さと清潔さで、地元スーパーを圧している様子だった。ＬＩＦＥは大阪発祥のスーパー大手で、関東圏でも展開している。庶民は便利で安ければいいのだ。

そこに住む人間にとって、京都も一地方都市に変貌しているということが、スーパーマーケットの風景から見えてくる。

「筋トレ」と「サックス」に勤しむ

通勤の途中にスーパーで買い物をすると前項で述べたが、さらに説明を加えよう。昼食を大学で食べるときには、ＬＩＦＥかＦＲＥＳＣＯで、生野菜のパックと豆腐ハンバーグかサラダチキン（糖質ゼロのもの）を買う。大学の冷蔵庫に、脂肪ゼロのヨーグルトを絶やさないようにする。自宅の圧力鍋で炊いた玄米を持ってきたときには、食後必ず三〇分は歩きに出かける。玄米といえど米には違いなく、血糖値を上げるからである。

ちなみに、常人だと食後一二〇くらいの血糖値が、私の場合、米の飯を食べると二〇〇近くなってしまうこともある。米プラスお菓子の類《たぐい》を口にしたあとには、二八八などというとんでもない数字を示すこともあった。

夕食の料理はいたってシンプル。一八時半に野菜から調理し、食べ始めるのは一九時か一九時半、ときどき二〇時になってしまうこともある。時間がかかる理由は、野菜を食事の最初に大量に摂取するというスタイルにあるからだろう。

東京・日野市の自宅にいるときには、中皿に載せた山盛りの各種生野菜を、オリーブオイルと特製の出汁《だし》をかけて食していた。こちらでも似たようなことだが、冬場は生に固執せず、何種類かの野菜をオリーブオイルで炒《いた》めたが、ニンニクを剝《む》くのだって結構時間がかかるものだ。

血糖値管理は、食事だけで片が付くわけではない。毎日の運動量がカギになる。糖尿の宣告を受けて以来、スポーツクラブに入会し、週に二、三回は通い、筋トレやウォーキングに励むことを続けてきた。ジムに行かないまでも、早足のウォーキングなどを励行することが習慣となった。三〇分ほどの早足運動は、血糖値を二、三〇から四、五〇くらいまで下げてくれる。

パンやご飯が食べたい、外食がしたいというときに、食後に運動することを予定しておけば、好きに食べることができる。行きつけのパン店や中華屋へ寄ったあとには、ジム以外にも市内をむやみに歩き回るとか、自転車で三〇分は走り回るというような工夫をしていた。ただ、同病の士に忠告しておくと、単なる散歩では効果がない。あくまでも、速歩。汗が出てきたら、「よし」ということだ。

京都では、コナミスポーツクラブ丸太町店が自転車で数分の距離にあったのが幸いだった。元はNTTが使っていたという趣《おもむき》のある建物をそのまま利用しているので、スポーツクラブ仕様になっていない。

プールなど長さが一五メートルしかないし、被災地の仮設並みの小さなお風呂など、設備はB級であった。しかし、ランニングマシーンのベルトに乗ってジョグウォーキングするときに、窓の外には鴨川の堤防や散歩している人たち、春先には桜の花が川岸を彩る様子が視界に入る。なんと豪華な眺めだろう！　丸太町橋の上空をトビが何羽も飛び交うのを見るのも、なかなかの風情だった。

東京と比べて、京都がいかに狭い町であるかを実感できるエピソードを紹介しよう。入会して間もないある朝、いつものようにマシーンを使っていると、トレーナーの指導でストレッチに励んでいる男性に目が留まった。知り合いではないが、見覚えのある顔である。

山中伸弥《やまなかしんや》だった。あのノーベル賞受賞者の山中先生だ。考えてみれば、山中先生が所属する京都大学はここから歩いて行けなくもない距離である。山中先生の姿があっても不思議ではないが、やはり東京ではこうした出会いは想像しにくい。京都に住んでいるということは、こういうことなのだ。

筋トレに週に二回ほど通うこと以外に、京都に来て初めてトライしたことがある。音楽教室に通って、アルトサックスのレッスンを受けることだった。きっかけは、投げ込みチラシ。「ワタナベ楽器店」という、歩いて七分くらいの楽器店で、無料体験会があるというチラシだった。

音楽、ことにクラシック好きな私は、生来の不器用さから楽器の演奏は苦手にしていた。だが、理屈が先行するタイプなので、楽典上の疑問点がいくつかあった。楽器を少しでも演奏できるようになることと、楽典上の疑問点を解決できるのではという期待で、無料体験を申し込んだ。弾みではあるが、京都で一人暮らしという閉塞感から、少しでも解放されたかったからでもある。

楽器店を訪れた時点で、レッスンを受けることは決まったようなものだった。Sさんという、京都を中心にライブ活動をしている著名なプロ奏者から教えてもらうことになり、ちょっと荷が重い感じはあったが、人生で初めてサックスという楽器の音を出すことになった。

それが結構吹けたのである。というより、最初から音が出せたというほうが正しいか。レッスンの前にワタナベ楽器店の部屋を借りて練習することが習慣となり、S先生が出演するライブにも何度か訪れるようになった。サックスは基本、ジャズである。この年齢になって、領域を広げ、やっとジャズにも馴染《なじ》むようになったわけだ。

こうして、単身赴任生活の一週間のスケジュールが決まってきた。「授業準備、授業、オープンキャンパスなど校務、合間を縫《ぬ》ってコナミで筋トレ、ワタナベ楽器店でサックスのレッスンとその練習」とその繰り返しの毎日だが、生活に一定のリズムを与えることが、健康にもいいことは明らかだ。

部屋のなかを常に整えておくことも大事だ。敷きっぱなしの布団《ふとん》などは論外。食後の汚れた皿などは速攻で洗っているので、常にすっきりとした気分で台所に立つことができる。

その昔、単身、旅から旅へと一人暮らしが多かった作家の水上勉《みずかみつとむ》が、調理をしながら使った食器を洗うという技を私に見せてくれた。さすがに調理しながらは難しいとしても、食後には十分可能な習慣であろう。

関東とは一風異なるスーパーの品揃え

冬が近づくと、スーパーの店先には「桐灰《きりばい》」のカイロが山のように積まれる。京都の風物詩と言っていいかもしれない。桐灰のカイロは、貼る、貼らない、普通の大きさ、ミニタイプなど、種類が豊富なので、悩んだ末に二種類選ぶ。若いころとは違って、カイロは必需品だ。

京都にあって東京のスーパーにないものの一つは、季節ごとに特有の食材である。樽《たる》に突っ立てた長い棒鱈《ぼうだら》を、ＦＲＥＳＣＯで見るのは年末に近い時期である。ハモも東京のスーパーではまったく見かけないが、京都では普通の食材である。私は何度もハモを買ってきて調理した。もちろん、すでに骨切りは終わっているので、基本はフライパンで焼くか、一人鍋のつゆのなかに落とすだけである。

ハモというと初夏が旬だと思われていて、料理屋でも初夏に出されることが多いようだが、晩秋のハモは脂《あぶら》が乗っていて、初夏よりも美味《お》しいという。スーパーでも、少なくとも年間二つの季節に出回っているため、始終売り場にあるような気がするほどだ。料理屋では高価な値付けかもしれないが、スーパーでの価格は高くない。

ＬＩＦＥはイオン同様全国区の大店なので、地元産の食材は少ない。せいぜい隣県の滋賀の野菜や、愛媛からのタイの切り身くらいだが、FRESCOになると「海の京都」舞鶴から、魚などが入荷することも多かった。

「ノドグロの開き」とか、東京では見かけもしない魚が並ぶこともあって、新しもの好きの私は、ときどきそういった魚を買ってきたが、なにぶんロースターやグリルは使わずに、フライパンと鍋だけの調理法なので、美味しく食べることは難しかった。

この土地でも、肉より相対的に魚が高くつくのは東京と同じで、私ががっかりしたうちの一つがそれだ。選び方はなかなか難しかった。切り身二枚で五〇〇円以内というのが基準である。美味しいというポイントを外したくはないので、どうしても宮城産やチリ産のサケの切り身が登場する回数が増える。東京でもたまに目にするが、愛媛産の養殖のタイは失敗がなかった。

サゴシというサワラに成長する前の魚が出回ることも多かったが、身にしまりがなく、私の好みではなかった。サワラは旬のときには、安くなるし、身がしまっていて、国産でも韓国産でも美味い。冷凍ものだが、デンマークのカラスカレイにはお世話になった。脂が乗っていて失敗がなかったし、ほぼ一年中売り場に並ぶのでずいぶんと食べた。この種類は東京でもよく見かける。

地元のスーパーは、地元と周辺地域の食材を多く並べていた。ワカメは東京では三陸産が多いだろうが、FRESCOではもっぱら鳴門《なると》産である。この塩蔵《えんぞう》ワカメは何度購入したか数え切れない。東京のスーパーでは、塩蔵ワカメは少ないようだ。

冬場は常に牡蠣《かき》が並ぶ。産地は圧倒的に広島のものが多い。広島の牡蠣は、東京で求める三陸産のものよりも肉厚なうえに、値段も安い。やはり、産地が近いと価格も供給量も恵まれるのだろう。東京に戻ってからスーパーに行くたびに、牡蠣が高いので買うことが少なくなってしまった。牡蠣を食べるなら、関西である。

関西では肉は、豚よりも牛だといわれてきたが、事情はもう変わっているようだ。牛、豚、鶏《とり》の売り場の占有比率は、東京のスーパーと変わらない。豚と鶏がやはり多い。日常食べているのは、ほとんどポークとチキンなのだろう。関西では旨いとんかつが食べられないというのも、昔語りになりそうだ。「とんかつ」店が増えれば、自然とレベルは向上するだろう。

もっとも京都人のみならず、関西人はビーフ好きであることは確かで、ビフカツがメニューに載っている店がかなりあることでもわかる。文句なしに美味しいビーフを食べようとすると、スーパー以外の肉の専門店で買うのが一番であろう。

ただ、東京同様高額になるので、京都でも町中の肉店は苦戦しているようだ。私の住まいの近くには、夷川《えびすがわ》通と寺町通に一軒ずつ、昔ながらの肉店があったが、客が群れている姿を見たことがない。それどころか、客が入っている姿さえめったに見なかった。

潰れないで済んでいるのは、飲食店に定期的に納品しているからではなかろうか。京都人は焼き肉店が好きである。他の飲食店が暇そうに見える日も、近所の焼き肉店は、夕方からグループや家族連れで混み合っている。こういう近所の店とつながっているのでなければ、店が潰れないで済んでいる理由がわからない。

ビーフについては、東京では見かけたことがない「ウデ肉」という部位をスーパーで見かけることが何度もあって、安いのでそれを買ってきたことがある。上等では無論ないが、適度に脂の乗った美味しい肉だった。

薄口の醤油《しょうゆ》は東京人は使うことが少ないようで、スーパーでも小さなボトルでしか売られていない。京都では「ヒガシマル醤油」というメーカーが有名で、大瓶サイズのボトルが普通にある。東京人には、ヒガシマル醤油よりもキッコーマンの製品のほうが馴染みがあることだろう。

神戸を案内してもらった際に、同僚のD先生が教えてくれたので、愛用していた「ば

ら ソース」も、神戸のみならず京都のＦＲＥＳＣＯでも売っていて驚かされた。ソースといえば、ブルドックとかカゴメしか知らなかったが、関西ではこうした地方に根ざした製品が根強く残っているのである。

スーパーがどの地域にもあるわけではないのは、東京と同じである。東京では都心部にはその数が少ないし、値段も高くなる。京都でも観光の盛んな地域になればなるほど、スーパーの立地が難しくなる。スーパーとコンビニの間を目指しているというＦＲＥＳＣＯが、かろうじて店舗を展開できるのだが、さすがに祇園や四条河原町、三条には一軒あるかないかだ。

高価な「京野菜」とは縁がない

さて、野菜である。私は糖尿になる前からかなりの野菜食いだったが、糖尿を発症してから、さらに野菜には神経を使うようになった。

野菜はＬＩＦＥのような全国区の店はともかく、地元スーパーでは地物の野菜がたくさん出回る。京都産もあるが、多いのはお隣の滋賀県産だ。タマネギはほとんどが淡路島産。九州からの青菜もある。東京の野菜は関東、東北からのものが多いのと対極である。

テレビなどで知られている「京野菜」などといったものには、とんと無縁であった。高価な京野菜は、契約している料理屋に行ってしまっているのだと思う。

ただ、廉価《れんか》な京野菜は結構買うことができる。一番多かったのは、万願寺唐辛子《まんがんじとうがらし》で、唐辛子という名称だが辛くはなく、細いピーマンと考えれば良い。種を取らずにそのまま調理できるので重宝した。あと聖護院《しょうごいん》大根、賀茂《かも》なす、九条ねぎ、壬生菜《みぶな》は何度も買っている。

一度だけ妻が堀川ごぼうを買ってきた。普通のごぼうの三倍ほども太い。煮て食べたが、ごぼうというより芋のような食感だった。堀川ごぼうによって、ごぼうは糖尿には良くない食材だということが実感できたのは、皮肉である。

ショウガは冷え性の私には必需の野菜である。冷蔵庫から切れると、土ショウガという、大きくて乾いているショウガを買いに行くのが習慣だった。スーパーのショウガは、京都でも東京でも小さいくせに高くて、しかもセロファンの袋のなかで湿っているものしか売られていないが、京都の自宅の近くでは、寺町通の老舗《しにせ》「八百廣《やおひろ》」に土ショウガが常に用意されていた。

暮らし始めて二年目だったろうか、近所の夷川通に「叶屋」という安売りの八百屋が誕生した。いつも使うスーパーが、台風などで品薄になり、価格が高騰したときに入ったのをきっかけに、私のなかで大ブレイクした。土ショウガも、叶屋が出現する前までは八百廣で求めていたが、叶屋はとにかく安いのである。あっちこっちとスーパー巡りを毎日のようにしていたが、こうした独立店にも存在意義があるということ、これもやはり京都ならではかもしれない。

京都のスーパーにあって、東京のスーパーにないものには、私がランチで常食していた調理ものも含まれる。大学の自ブースで昼に食べていた生野菜のパック、豆腐ハンバーグの二品は、東京のスーパーで見かけたことがない。生野菜のパックはコンビニに置いてあるドレッシング付きのものに似ているが、空気だけを食べるに等しいレタスなど入っていない、キャベツの千切りをびっしりと詰めた一品である。

FRESCOでは一〇〇円、LIFEでは二〇〇円という値段設定であったが、どちらも二人前の分量があり、パックから皿に移すと、縁《ふち》から零《こぼ》れるほど量が多かった。こういうありがたい商品が、東京の近所のスーパーでは一軒も売っていない。京都ならではの事情があるのだろうか。豆腐ハンバーグは、京都ではLIFEにもFRESCOにもほぼ同種類の品があった。

どうして東京のスーパーには、それらがないのか。東京・多摩地区だけではなく、都心の飯田橋のスーパーにも置いていなかった。唯一、京王ストアで豆腐ハンバーグを見つけたので食べてみたが、名前は同じでもハンバーグというより練りものに近い別物だった。正直、私は豆腐ハンバーグはもう一生分食べた気がするので、売り場になくていいのだが、同病の人たちのためにはあってほしい「逸品」だ。

どの都市でも、中心部に行くほどスーパーの数は減ってくる。東京では都心回帰がいわれて久しいが、ことスーパーに関して言えば、東京の周縁部のほうがはるかに楽に買い物ができる。

東京・日野市の私の自宅から、歩いて行けるスーパーを並べてみよう。「スーパーアルプス」「いなげや」「京王ストア」「おおた」「トップパルケ」「JAみなみの恵み」。自転車ないし車を使えば、「ヤオコー」「イオン」「さえき」である。これらは日常的に使える店舗であり、アクセスも非常に楽だ。都心部に住む方々に、「どうだ、凄い数だろう!」と自慢したい気分になる。

第二章　洛中で暮らしてみたら

寺町通を『檸檬』の舞台まで

私が住まいとして選んだのは、京都市中京区二条通柳馬場西入ル晴明町であると前に書いた。「二条通柳馬場西入ル」という通りの名前を加えた表記は、いかにも京都風ではあるが、郵便などはこの部分を省いても十分に届く。

さて、順序が逆になってしまったが、基本的な説明をしておこう。二条、三条、四条と名づけられた通りは東西に走っている。北は一条まで、南は九条まである。東西の通りすべてに「条」が付くというわけではなく、御所を真ん中にして、南には丸太町通、北には今出川通が走っている。

南北の通りにもすべて名前が付いていて、室町幕府が置かれたことで有名な室町通は、南北の幹線道路である烏丸通の二本西側を南北に走っている筋である。柳馬場通は、南北に通る幅一〇メートルほどの狭い通りだ。

自宅マンションの前から、周辺を歩きながら実況中継を試みてみよう。狭い入り口を出て、右、すなわち東に行けば寺町通方面、左に行けば烏丸通方向である。右に行き、地下鉄京都市役所前駅まで歩いて六、七分、左に向かい烏丸御池駅まで歩いて一〇分、そこから地下鉄に乗ると七分くらいで京都駅である。

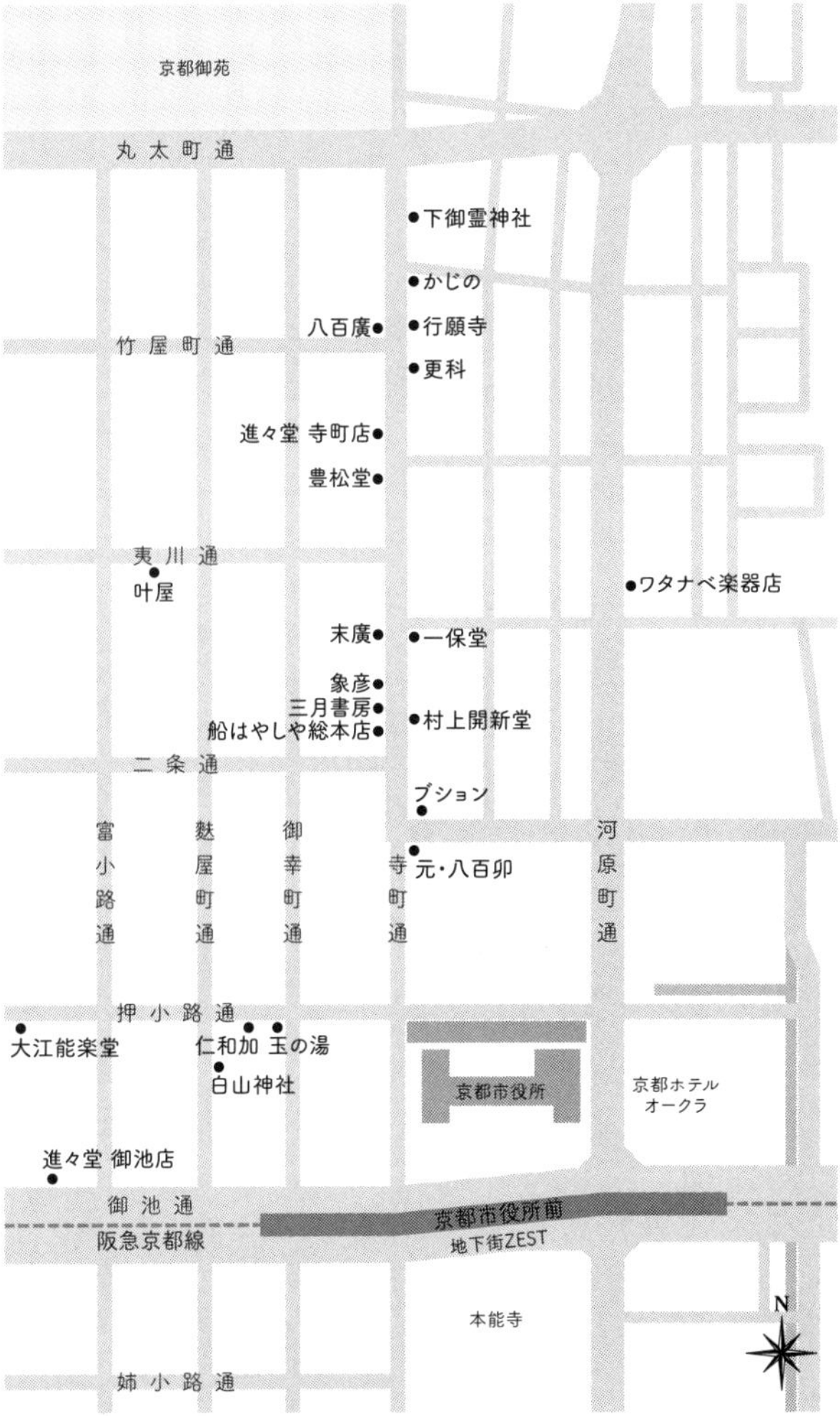

寺町通周辺(丸太町通〜御池通)

今日は右のほう、寺町通から始めることにする。二条通の突き当たりの寺町通まで、三本の筋を通り越す。富小路《とみのこうじ》、麩屋町《ふやちょう》、御幸町《ごこまち》通を越すと、すぐにT字路であり、左右の通りが寺町通である。ちなみに、二条通はそこが終点ではなく、右に旋回して、さらに続いていく。

寺町通は、御池通の入り口からはアーケードが掛かっているが、このあたりの寺町商店街は野天である。商店街の通称も「御所南・寺町会」となっている。この御所近くの寺町通こそ、私が最も親しんだ町筋だった。

この通りを北へ、すなわち御所方面に向かってみる。通りの左側を歩くと、五色豆《ごしきまめ》で有名な「船はしや総本店」、通好みの新刊書店「三月書房」、塗りものの高級店「象彦」、サバ寿司が売り物の「末廣」と有名店が目につく。通りの反対側には、洋菓子の老舗「村上開新堂」、日時を選ばず常に観光客でいっぱいのお茶店「一保堂《いっぽうどう》」が見える。

左側に戻り、夷川通を越えると、ここも観光名所の「京あめ処豊松堂《ほうしょうどう》」があり、さらに進むと私の行きつけのカフェ「進々堂寺町店」がある。さらに進むと、野菜料理に特色を出しているフレンチや、近辺の料理屋御用達《ごようたし》の八百屋「八百廣」もある。

反対側には寺町の名の通り、「行願寺《ぎょうがんじ》（革堂《こうどう》）」、「下御霊《しもごりょう》神社」といずれも由緒ある社寺が並んでいる。老舗の蕎麦《そば》店「更科」、筍《たけのこ》煮などの煮物の「かじの」もあるが、御所に近づくほど食べ物屋は少なくなる。若いカップルを集めている炭火焼きのオシャレな焼き鳥店が目立つくらいだ。

寺町会商店街は、元は気安い骨董《こっとう》店が軒を接していた骨董街だったのだが、今は減っているようだ。その分、食べ物店が増えたわけではなく、高級化したらしい。古くから存在しているように見える「象彦」も、この一〇年くらいの間に引っ越してきた店である。

一九八七年に発行された『新版「食」京都の誘惑』（文春文庫ビジュアル版）という文庫が手元にあったのを忘れていた。三〇年以上前の本である。取り出して見ると、当時の寺町会商店街が紹介してある。掲載地図を見ると、御所に向かって右手のほうに骨董店が集中していることが確認できる。

現在、そのなかで残っているのは、どうやら一軒だけのようだ。私が住んでいたたった四年の間にも、この通りの商店の入れ替えがあったくらいだから、三〇年前は戦前の風景を見るのと同じなのだ。

一つ思い出したことがある。会社の先輩で川島眞二郎という奇特な御仁《ごじん》がいた。早世《そうせい》してしまった人だが、美術雑誌の編集者だったこともあって京都の地理に詳しかった。この人に連れられて、この界隈《かいわい》を歩いたことがあったのだ。先の文庫に載っていたような店が点在していたころのことだ。

私は、ある骨董店で非常に安い菱形《ひしがた》の皿の揃いを買った。八枚揃いで、いくらだったのかは忘れたが、旅館か料理屋の閉店で流れた皿らしく、頑丈そうでこの上なく安価だった。その揃いの半分は割ってしまったり、葬式に貸し出したまま戻ってこなかったりで、今は半分しか残っていないが、自宅での使用に十分堪えている。

しかし、現在はそうした掘り出しものに、この通りで出会うことはめったにない。「象彦」がいい例だが、寺町通は、いや京都自体が高級化してしまったのである。

先に二条通は寺町通とぶつかった地点で曲がっていると書いたが、右にカーブした南東角に、ほんの五、六年前まで二階をパーラーにした「八百卯《やおう》」という果物店が存在しており、そこがかの有名な梶井基次郎《かじいもとじろう》がレモン一つを買い求めた店なのだった。掌篇『檸檬《れもん》』は一九二五年（大正一四年）に発表されているから、あと少しで一〇〇年になろうかという古い作品だ。梶井はこの小説のなかで、次のようにこの店の魅力を描いている。

〈其処は決して立派な店ではなかったのだが、果物屋固有の美しさが最も露骨に

感ぜられた。〉（新潮文庫）

その日は珍しく店頭にレモンが出ていたのだという。そのレモンを一つ買い求め、歩きながら匂いを深々と吸い込むと、〈身内に元気が目覚めて来たの〉である。そして、レモン一個の重さが、すべての善なるものを重量で示しているようで、主人公は幸福になる。

この掌篇を読んだことのある方は、非常に多いはずだ。主人公は当時、麩屋町三条にあった書店「丸善」へと向かう。売り場で色とりどりの画集を積み上げ、一個のレモンをその上に置いて、丸善から立ち去る。レモンが爆弾のように破裂して、丸善を木っ端微塵《こ ぱ み じん》にする想像を楽しみながら。

繰り返すが、その果物店は、まだ店を閉じてから五、六年しか経《た》っていなかった。先ほど述べた菱形のお皿をこの通りで購《もと》めた二十数年前には、確かにこの店を見た記憶もある。『檸檬』に出てくる果物屋がつい最近まで残っていたという、京都というのは、そういう驚くべき街なのである。

地下街ZESTから新京極へ

散歩をさらに続けよう。『檸檬』の舞台までやって来たので、その地点から再開する。果物店は跡継ぎに恵まれなかったとかで、閉店したあと、現在もシャッターが閉まったまだ。二条通を挟んで、そのほぼ向かいに、常に賑《にぎ》わっているフレンチのビストロ「ブション」がある。だが、二条通をブションの前には行かずに、寺町通を御池通方面に向かおう。そのあたりから寺町通は道幅が狭くなってくる。すぐに東西の通り、押小路《おしこうじ》通に差しかかる。

この通りを西側に入って行くと、烏丸通にぶつかるまでに、銭湯が「玉の湯」「初音湯」と二軒、「大江能楽堂」、いくつかの料理屋、飲み屋が存在する。割烹「仁和加」ほか、人気の高い和食の店も何軒か点在している。

烏丸通が前方近くに見えたら、直前で左に曲がろう。御池通に出たら左折し、また元の方向に戻る。柳馬場通を過ぎると、左手に「進々堂御池店」がある。そこを過ぎると、歩道の右側に地下に下りる階段が見えてくる。地下は御池通地下街「ZEST」になっている。

この地下街は、駐車場に通じていること、また地下鉄・京都市役所前駅につながっていることで、一応の賑わいを見せている。夏は冷房で涼しく、冬は冷たい北風を遮《さえぎ》ってくれるありがたい存在なので、その意味でもここに「避難」してくる地域住民は多いのだ。雨の日も利用価値が高い。観光客は少なく、ほとんどが地元住人であるから、地元の声を聞きたければ、この地下街を歩くといい。

この地下街で私が頻繁に利用したのは、書店「ふたば書房」、一〇〇円ショップ「Ｓｅｒｉａ」、食材販売「ＫＡＬＤＩ」などだが、一番多かったのはパン店「ＣＡＳＣＡＤＥ」だろう。糖尿持ちの身としては、パン食は第一に避けるべき食品だが、ジムで身体を動かす前などには言い訳が利いたのだ。店奥の厨房《ちゅうぼう》で一日中焼き上げているので、常に焼きたてを食べられる。ただ、実は京都よりパン製造の歴史が古い、神戸発祥のパン屋さんだった。

散歩をさらに続けよう。地下街から地上に上がるが、入った場所とは反対側、御池通の南側に這《は》い上がる。出口はいくつかあるが、私はだいたい、アーケードが掛かっている寺町商店街の入り口に回ることにしている。そして、寺町通のアーケード街を南に四条通まで下っていく。

アーケードの下に入ってすぐ左手は、本能寺の門前である。織田信長が討《う》ち死にした旧・本能寺から、この地に移転したのだ。その先、右側にレトロな店構えで、行列が絶えない「スマート珈琲店」、水上勉ゆかりの画廊「ギャラリーヒルゲート」を過ぎ、三条通と交差する。

この西南角には、このあたりのランドマーク的存在、すきやきの「三嶋亭」が京都らしい店構えを見せている。三条通を右に入るとすぐ、御幸町通の角に広いスペースを誇る「タリーズコーヒー三条通り店」が現れる。この店も数知れず利用した。

元に戻って、寺町通を下って行こう。寺町商店街の通りは新京極通と並行しているので、どこでも路地を左に折れると、そこが新京極通である。寺町通は広いが、新京極通は狭いので、逆に賑やかさが際立っている。

寺町のほうは大人向けの店が多いが、新京極はどちらかというと若者対象になる。洋服や靴の店が多く、食べ物店が少ない。コーヒー店は「タリーズ」などはあるが、私にとっては基本歩くだけの通りだ。四条通に辿り着くと、左に曲がって今度は新京極通を北上する。先に言った通り、道幅が狭いので賑やかさは格別だが、早足で歩きたいときには寺町通に戻ったほうがいいだろう。

石川啄木《いしかわたくぼく》ではないが、人混みのなかに紛《まぎ》れたいときには新京極はお勧めである。新京極

寺町通周辺（御池通～四条通）

通は、三条通に到達すると終点だが、その手前に「MOVIX京都」というシネマ・コンプレックスが二棟立っている。実は新京極は、その昔は興行街であったので、映画館、芝居小屋、寄席などが立ち並んでいた。MOVIXはその名残《なごり》というわけである。ここで何度か、最終上映の客がガラガラの回を観たりもした。最終の回を観ても、帰宅まで徒歩で一〇分もあればOK。都心に住むという利便性はこういうところにある。

三条通についても話しておこう。新京極の通称「たらたら坂」を上り切ったところが三条通で、京都でもこのあたりは観光客が集中して歩き回る場所である。中国語、フランス語、英語、スペイン語などが日本語と同じ密度で空間を満たしていて、とにかく賑やか。

東の方向、河原町通までの短い道筋にあるのは、楽器店「JEUGIA」、紅茶のカフェ「リプトン」、カラオケの「ジャンカラ」などで、いずれの店にもお世話になった。「ジャンカラ」は東京人には馴染みがないが、大阪、神戸を含めて、京都周辺ではポピュラーなチェーンで、河原町三条を中心に何軒も店舗展開している。三条ジャンカラで、私はサックスを持ち込んで吹いたこともある。

河原町通に出て右、四条方面に下ろう。すぐ右手にビアホール「スーパードライ京都」が、昭和の香り漂う、懐かしげな店構えを見せ始める。開店まもない休日の朝、河原町通に面したテーブルに地元の老人が一人陣取り、新聞を広げて、生ビールの大ジョッキを傾ける姿をよく見かけていた。

私も一度やってみたが、昼前のまだ疲れていない身体にしみ込んでいくビールの旨さたるや！ 一口飲むごとに気持ちよくなっていく。ほどよく酔ったころ、店内は混み始め、老人は後進に席を譲り、立ち去るのである。これもまた、京都の中心部に住むことの喜びであろう。

付け加えておくが、都心部が常にいいと言いたいわけではない。ただ、東京の都心部のように緊張を強《し》いられる地域とは正反対の豊かで、余裕のある時間が京都では流れるのである。

猛烈に暑い、クマゼミが鳴く夏

京都に住んでいることを話すと、たいていの他国人は「冬は寒いし、夏は暑いから、大変ですね」と同情してくれる。しかし、彼らは京都を旅先の一つとして訪れたことがあるだけで、住んでいたわけではない。「京都は盆地だから、冬寒くて、夏暑い」と教科書で学んだ知識を復唱しているのだろう。あるいは、たまたま旅行で訪れたときに、強い印象を持ったのかもしれない。

夏の日盛りの湿気の酷《ひど》いときに、清水《きよみず》の坂を上り下りしただけで、京都の夏の印象は刻印されてしまう。ましてや、どんな苛烈《かれつ》な日照りの下でも、人波が途絶えることはない町々なのだから、暑さは倍増するのだ。

実際に暮らし始めての感想は、東京、特に私の住んでいる東京の内陸部と、たいして違いはないというところだった。しかも、私が暮らしていたのは、エアコン一つで夏冬がしのげるワンルームマンションである。日本にいる限り、どの地方でも夏は暑くて、冬は寒い、それは当たり前だという気持ちもあった。だが、生活が二年、三年と重なるにつれ、微妙に感じ方が変わってきた。

夏の暑さは、単に暑いという表現では物足りないことがわかってきた。バーナーで炙《あぶ》られるような日中の日差しの強さ、夜になってからの蒸し暑さは、尋常ではない。二〇一九年八月には、気温自体も三八度以上を記録したほどだが、それよりも山に三方囲まれているせいか、湿気が居座ったまま逃げないことに暑さの原因があるようだ。

鴨川の「床」と言えば、夏の京都の風物詩の一つだが、実際にその席に着いてみると、意外に涼しくないのに呆《あき》れてしまう。湿度が高いうえに、川風がそよとも吹かないので、座っているだけでも首筋に汗が噴き出してくる。

文学者の杉本秀太郎《すぎもとひでたろう》によると、京都人は「見立て」という技を使うそうだ。「見立て」というのは文字通り、そのように見立てるという意味で、「涼しくはないが、涼しいと見えるように工夫しよう」という考え方。いかにも涼しげに思える「見立て」が、川床《かわゆか》の神髄《しんずい》なのだ。

鴨川の床よりも私が京都の夏で好きなのは、クマゼミが鳴くことだ。少年時代は昆虫少年であったので、夏のセミ採りにはどの土地でも熱中したものである。キャッチ&リリースで、いったんは虫かごに入れても夕方には解き放つ。

一番好きな昆虫はノコギリクワガタだが、現代の市中では望むべくもない。身近な昆虫はセミである。翅《はね》と胴体が美しいミンミンゼミが好みだが、東京ではアブラゼミが他を圧倒して、ツクツクボウシでさえ珍しくなっている。京都ではミンミンゼミよりもっと身体の大きなクマゼミが、アブラゼミよりも多い。

なんと贅沢《ぜいたく》な土地だろうと、クマゼミのシャーシャーという鳴き声が聞こえるたびに思ったものだ。クマゼミは、黒々とした胴体こそ鈍臭い印象だが、翅が透き通っているだけで美しく思える。もっとも、このクマゼミは繁殖力が旺盛で、これまで生息しなかった東京方面にも進出を狙っているということらしい。外来種のようなやっかいな存在なのだろうか。

このセミが、御池通の街路樹として植えられている欅《けやき》の太い幹の根方から這い上がって、あの広い通りをシャーシャー声で覆い尽くす。その様に、「京都の夏やなあ」と私は関西弁で嘆声を放つのだ。

私にとっては、それが一番の京都の夏なのである。鳴き声があまり聞こえない年と、広大な御池通の上空からシャワーのように降りかかる年とある。アメリカで一七年ごとに特別の場所で発生するセミのように、クマゼミにも旬の年があるようだった。

こういうこともあった。ある夏の夕べ、母親と小さな女の子の二人が、御池通の歩道上で立ち止まって困っている風であった。近づくと、クマゼミのさなぎが脱皮すべき幹を求めて舗装された歩道を移動している。その歩みはあまりにのんびりしているので、放っておけばすぐにでも踏み潰されてしまうだろう。

心優しい母子はそれを心配して見守っているのだが、手を出すのが怖いということだった。私は、昆虫に関してはためらいがない。さなぎの胴体を指で挟んで、近くの枝につかまらせてあげた。これも東京では出会わない光景かもしれない。

清少納言のころの夏と冬

私のような年齢の高い者には、冬場のほうが夏よりつらい。晩秋になると、深夜から明け方にかけて、底冷えという言葉がぴったりの冷気が街の底に居座る。京都の冬は、寒いのではなく、「ちびたい（冷たい）」のだと言いたい。あの有名な比叡《ひえい》おろしと呼ばれる風を顔に受けたときに、それを実感する。

季節対策として、夏は帽子とサングラスで防御し、むき出しの腕が焼かれることを気にしなければ、自転車通勤で問題なかった。一方で、さすがに冬場は、氷の冷たさに耐えきれず、バスを利用することが増える。

娘がスヌードという二重の襟巻《えりま》きをプレゼントしてくれてからは、首回りをそれで覆い、頭はスキー用帽子、口はマスクと重装備して、自転車通勤を再開した。自転車は風を切って走るわけだから寒いのは当然だが、ここ京都ではやはり寒さが、いや冷たさが東京より強烈だ。

晴れているのに、みぞれ状の霧雨が降ってくることもある。時雨《しぐれ》というやつだが、一瞬にして空中で凍りついたのだろう、さらさらと気持ちよく顔を濡《ぬ》らすというよりも、微小な氷片が顔面を襲ってくる感じだ。大げさなようだが、実際にインパクトが強い。東京では時雨が降ることは稀《まれ》になっているので、京都らしい天気だなあと感心もする。

もう一つ、加えておきたいのは、その季節感の気まぐれさである。特に秋口や冬場の霧雨や、春雨《はるさめ》などの加減の複雑さは、表現しきれない。そう考えると、夏場は単純に蒸し暑いだけで、他の季節はすべて微妙な気候である。

現代でも京都の気候は穏やかとは言えないと思うが、清少納言や紫式部の時代の人々は、どのようにして寒さ、暑さを凌《しの》いでいたのだろうか。

清少納言の『枕草子』では、冒頭に京都の四季の魅力を簡潔に述べているのはご存じの通り。「春はあけぼの」に趣があると始まるこの書物のなかで、夏あるいは冬に関しては、次のように描写している――。

〈夏はよる。月の頃はさらなり、やみもなほ、ほたるの多く飛びちがひたる。また、ただひとつふたつなど、ほのかにうちひかりて行くもをかし。雨など降るもをかし。〉

〈冬はつとめて。雪の降りたるはいふべきにもあらず、霜のいとしろきも、またさらでもいと寒きに、火などいそぎおこして、炭もてわたるもいとつきづきし。

昼《ひる》になりて、ぬるくゆるびもていけば、火桶《をけ》の火もしろき灰がちになりてわろし。〉

（池田亀鑑校訂、岩波文庫）

原文を引用したが、意味のわからない単語は、早朝の意味の「つとめて」くらいだろうか。『枕草子』は先に述べたように、短い文章でざくっと語るのが特徴だから、たらたらと長い感想は聞けないが、夏冬ともに悪《あ》し様《ざま》には語らず、それぞれ魅力を見出《みいだ》しているのには感心するしかない。

もっとも、夏は少なくとも夜になると、現代よりも過ごしやすかったかもしれない。高層建築物がなく、家々も密集していないから、風のない日でも、ひんやりとした空気が鴨川のほうからやって来たのではなかろうか。ちなみに、鴨川は平安京造営のときに付け替えられた人工の川であるという説があったが、現在は否定されている。

冬は早朝がいいというのは、私には理解しがたい。〈火などいそぎおこして〉というが、火が熾《お》きるまでは暖房なし。その時点で私なら凍えてしまっている。綿と麻しか衣料繊維はなかったし（山人は毛皮を着用していたかもしれないが）、布団だって十分に暖かかったとも思えない。エアコンは無論のこと、石油ストーブもガス給湯器もなく、それどころか水道も引かれていない。

暖を取れるのは、火鉢か炬燵《こたつ》だろうが、調べてみたところ、炬燵の起源はやっと室町時代からというので、清少納言の時代にはまだなかったわけである。そうなると火鉢だけである。隙間風《すきまかぜ》だらけの建物も、現代の高気密住宅どころか、安普請《やすぶしん》の木造住宅のレベルにも達していなかったことだろう。

私はこの書物の忠実な読者ではないが、ざっと全編見渡しても、気候に関しての嘆きは少ない。寒い、寒いと文句ばかり言っている現代人とは感覚が違っているのだ。

ただ、まったく書かれていないわけではない。一一八段に〈冬は、いみじうさむき。夏は、世に知らずあつき。〉とあるところを見ると、「暑い」「寒い」と当たり前の不満を述べるのは、風流ではないという判断からだったのだろう。

寒さに関して、面白い発言を聞いた。大学のゼミ生に新潟県長岡市の出身者T君がいて、お正月休みから戻ったとき、「京都は暖かくていいですね」と。その時期は私には十分に寒くて、手足も一日中冷え切っていたころである。

だが平均気温を調べてみると、長岡が京都よりもうんと寒いということはなさそうである。夏場も三〇度を超えるような暑い日々が続くのも似通っている。しかし一点、決定的な違いがあった。

雪である。長岡は豪雪地帯だ、吹雪《ふぶき》の夜もあるだろう。風が強いときに味わう寒さは格別に辛かろう。京都に暮らした四年間に、雪が積もったことがあったろうか。一、二回はあったはずだが、すっかり記憶から抜け落ちている。その程度の降雪だったということに違いない。

長い間に気候が住民に与える影響というものについて考えてみると、京都人は一筋縄ではいかない気候に翻弄《ほんろう》されつつも、巧妙に折り合いをつけていく気質を身につけたのかもしれない。

京都人の「いけず」とか、本音を述べない話しぶりとかは、他国人の支配を受けることが多く、本音を隠さなければならなかったこと、またはっきりした物言いは下品と考える公家《くげ》たちの性質が、町人たちにも浸透していったせいではないかと思うが、さらにこうした苛烈な気候から育てられた面もあるような気がする。

素人の推測でしかないが、京都人の性格の複雑さの一部は、この気まぐれな気候から来ているのではなかろうか。

文芸編集者時代に体験した取材旅行の一シーンを思い出す。金沢を訪れたときのことである。土地の実業家とその奥方と知り合いになった。奥方は長野県諏訪市の出身で、ご亭主は代々、金沢というか加賀の人なのである。はっきりとモノをおっしゃる奥方で、たまたま加賀の気候に話題が及んだときのことだ。

「こちらは一年中、毎日はっきりしない天気が続くんですよ。曇りかと思うと雨が降ってきて、またすぐ止《や》んでというような。スカッとした晴れの日がないんです。諏訪の天気はまったく反対です。晴れなら絶対に晴れ、雨なら絶対に雨。この土地の天気にはうんざりしています。諏訪に戻りたいといつも思います」

離婚したがっているわけではなく、ご主人への当てこすり半分だったが、なるほどと感心したのは、そのご主人が加賀の天気のような方だったからだ。よく言えば穏やか、悪く言えば当たり障《さわ》りのない、ちょっと「雲」のような印象。代々の加賀人はこうなるのかと、気候が人間性を形づくる証拠を見せてもらったような気がした。

「よそさん」はいずれ通り過ぎる

京都は天皇の住まう土地だったから、武士の棟梁《とうりょう》たちが鎌倉や江戸に幕府を置いてからも、地方に遍在する武将連は京都に上って、日本全体に号令をかける権利を得なければならなかった。「応仁の乱」は京都の町を焼き払い、町の存続まで怪しく変化させたが、やはり京都に天皇がいて、室町幕府が置かれていたからこそ起こったのである。同様に、幕末の勤王派と佐幕派の争闘が、京都を舞台に展開されたのも理の当然であった。

現代に至るまで、日本人は天皇という「神」からの保証を得なければ、どれほどの武力を保持していようと日本国の代表にはなれなかった。というようなことは、読者の皆さんに周知のことだろう。

歴史上、よそ者のうち、京都にとって最大の功労者は豊臣秀吉だったろうか。秀吉が変えてしまった町の姿は、今もそのままに残っているし、三条大橋や三条通、京阪電車が走っている線路筋も、そもそもは秀吉が造らせた土手を利用している。

尾張の商人的な発想が、京都を商業の活発な町に作り変えた功績は計り知れないが、京都の町衆にとっては秀吉はそもそも姓もない尾張の水呑《みずのみ》百姓、内心は田舎者《いなかもの》と見下していたに違いない。

また、一番近い歴史では、天皇が東京に去る前の幕末期。大手を振って市中を練り歩いたよそ者の最たる存在は、新選組だ。よそ者でも権力者や金持ちには、誇り高い京都人でもいったんは頭を下げる。局長の近藤勇も、副長の土方歳三も、二人とも農民の出身である。江戸幕末期の制度の乱調に乗じて、侍に昇格したに過ぎない。

京都人は外敵に弱いと言う人がいる。私はそうではないと思う。外敵が現れても表だって反抗はしないが、いずれ嵐は過ぎ去ると考えている。実際に、そうなることは歴史が証明している。

秀吉が命じた大規模な土木工事は、京都の人々に多大な負担をかけた。全国から人夫を万の単位で集めたとしても、彼らの食事や住まいを世話する役目は、土地の人間が担う。どどっと押し寄せたそれらの人夫たちの狼藉《ろうぜき》だって、一つや二つではなかったはずだ。都は大混乱の様相を呈《てい》していたに違いない。

それでも、我慢に我慢を重ねていれば嵐は過ぎていく。秀吉の天下はたった一〇年に過ぎなかった。次代を継いだ家康は、京都を避けて江戸に幕府を開く。徳川幕府が崩壊へと歩み始めてからは、再び京都は政争の場所となり、多摩の田舎者集団・新選組が暴れ回ることになるが、それも数年の我慢であった。新選組もたちまち過ぎ去っていく。だが、京都人は残るのである。

京都人は「いけず」とか「一見《いちげん》さんお断り」とか、京都人以外の外部の人間に対して閉ざされていると言われるが、秀吉の例を持ち出す必要もなく、他国人が数知れず通り過ぎていった歴史を持っている。現在もまた、他国の学生や観光客で毎日溢れかえっている町である。そして、彼らも通り過ぎていく。

よそ者に冷たくしている暇なんぞないのだ。しかし、生粋《きっすい》の京都人がよそ者に心を開いているわけではは決してないことは、日々生活していて気づかされることがある。ほんの小さな態度、小さな姿勢に表れるのだ。

祇園の舞妓《まいこ》さんたちには、地元京都出身の女性が少ない。昔はともかく今は、福井とか北陸方面からの出身者が多いらしい。ということは、「閉鎖的」と思われている京都の「一見さんお断り」の本拠が、京都以外のよそ者で構成されているということになる。

京都では、よそ者のことを「よそさん」と言うと前述した。ただし、私は市中で一度も聞いたことがない。それも当然で、私は「よそさん」のまま四年間暮らしたわけであり、ついでに言えば「よそさん」のままでなんの不自由もなかった。

そもそもご近所付き合いがなかった。マンションの一階で営業しているツーリング専門の自転車屋さんのお兄さんと、朝夕挨拶を交わすだけのご近所付き合いしかなかったし、そのお兄さん自体も「よそさん」であっても不思議はなかった。

私の住んでいた地域にも町内会はあって、マンションの大家さんは当然として、実は、私も入居と同時に書類上は所属していたのだ。毎月の町内会費は「一世帯六〇〇円、単身者三〇〇円」である。「単身者」という区別をわざわざしていることからわかるように、御所南というこの地域では、ワンルームマンションの増加とともに、単身者が無視できない数まで膨れ上がっているということなのだ。

京都は学生の町とよく言われるが、実際その通りである。京都市の市域からすると寺社の数も凄いが、大学の多さは全国でも群を抜いている。二〇一九年の調査では、総人口に占める大学生（四年制）の割合は、京都府が第一位であった。

京都府の大学のほとんどが京都市に集中しているのだから、京都の町を歩いていて、大学生の姿を見かけることは非常に多い。私も市内で、ときどき所属する学科の学生と遭遇することがあった。東京では市域が広すぎて、そういうチャンスはめったに起こらない。

私の勤めていた大学の場合であるが、出身県は京都、大阪、兵庫、滋賀のほかに、九州から福岡、鹿児島、長崎、中国から広島、岡山、鳥取、北陸から福井、富山など、ほとんど西日本で占めている。時折、埼玉、千葉、福島、宮城という県名を聞くことはあった。中部地方からは、愛知は少なく、なぜか静岡、岐阜出身者が目についた。だがやはり、ほとんどは西の地方からである。つまり、大学生はよそさんの大集団ということになる。

もう二〇年ほど前だが、先斗町に古くから営業している、おばんざいの店Mでのこと。司馬遼太郎《しばりょうたろう》も贔屓《ひいき》にしていた店のようで、司馬の書が飾られていたと記憶する。主人は無表情だが、当たりの柔らかな、まさに京男子だった。

時はジュンサイの季節だったから、初夏だろうか。この不思議な野菜は私の好物で、どこの産かと尋ねると、秋田だと言う。「秋田かー」とちょっと残念そうに私は言った。「深泥池《みどろがいけ》のは出回らないのですか」とさらに訊《き》いた。

すると店主は呆れたように、あの池で採れるなんて聞いたことがないと言う。隣の馴染み客が、哀れんだように私を見たような気がした。ちょっと自意識過剰だったかもしれないが、彼らの反応が愉快でなかったことは事実である。

確かに暮らし始めてから自転車で訪ねた深泥池は、自然保護のために、植物の採集が禁止になっていたし、それ以前に、池というより沼と称したほうがいいような泥水のなかでは、とてもジュンサイなど育たないとわかった。

だが、千澄子《せんすみこ》『京のたべごろ』（朝日新聞社）では、深泥池産のジュンサイを京都人が楽しみにしていたと書かれている。深泥池もその昔は、ジュンサイが自生する澄んだ池水の趣を備えていたのだろう。

Mの主人が知らなかったくらいだから、二、三〇年前にはすっかり池水は濁っていたものと見える。池水を見たことがない私は、もちろん書物で知っていただけだが、モノを知らない東京モンのくせに、という主人の態度に京都人を感じたことを思い出しては、今、私は舌を出す。

古くからの京都の店では、当たり前だが、一見の観光客よりも常連さんのほうが大事である。にわか京都人も何度かその店に通っているうちに、自分は常連だという気持ちになってくる。だが、何かの拍子にうっすら冷たい言動を感じることがある。十何年も通って来ている本当の常連さんへの応対で忙しい主人に、ちょっとうるさそうな言葉付きをされたときなどだ。

小さなトゲではあるが、こちらの誇りに傷がつく。自分がよそ者であると再認識させられるのだ。もっとも、この年齢になると、だからどうということはない。よそ者はよそ者で十分である。

誰もが知る「祇園祭」の賑わい

京都の祭りというと、誰もが祇園祭を思い浮かべるだろうし、それを含めた三大祭りは、京都の町を挙げての年中行事だ。あとの二つは五月の葵《あおい》祭、一〇月の時代祭。祇園祭が七月なので、春、夏、秋と三つの季節に大規模な交通規制が行なわれ、御池通、京都御苑《ぎょえん》など、スペースの広い場所に有料の観覧所が設けられる。

それほど規模が大きい。それぞれ一地域の催しというより、京都市全体の祭りと言ってもいいだろう。いや、祇園祭は、もう一京都というより日本を代表する祭りと言えるかもしれない。

洛中の人、つまり生粋の京都人である杉本秀太郎によれば、この祭りに専従する町内の人たちにとっては、祇園祭という見物する側からの呼称より、「祇園会」というのが相応しいという。「会《え》」というのは、仏事、祭事に際して集まりを持つことを指す。元は「祇園社」と名乗っていた八坂神社の氏子衆《うじこしゅう》が集まって催していた祭事であるから、地元の人間にとっては「祇園会」というのが当たっているわけである。

専従者にとってこれらの催しは、いずれも一日二日で片がつくような簡単な日程ではない。名物の山鉾巡行《やまほこじゅんこう》自体は前祭《さきまつり》一七日、後祭《あとまつり》二四日だが、祭りそのものは一日から始まって、終わるのは三一日、つまり一月まるまるお祭りなのである。

この一月間は仕事も放り出して祭りに奉仕するわけであるし、一年の計はこの時期にあるというほど、人生において重要な価値を占めている。このお祭りのために生きているという洛中人の数は限りなく多いだろう。杉本秀太郎の文章を引用すると、〈今年の祭礼行列がおわった日に翌年の暦がはじまる。〉（『京都夢幻記』新潮社）のである。

織田信長が天正一〇年六月二日に旧・本能寺で生涯を終えたことは、誰もが知っているだろう。この年、祇園会の前祭の初日は六月七日だったというから、信長はこのお祭りに間に合うようにやって来ていたのだ。もちろん、中国地方で苦戦していた秀吉からの救援要請に応えることが一番の理由だったが、お祭り好きだったという信長にとって、しんどい戦いの前の束の間《つかま》の楽しみになるはずだったのである。

今の記述から、この時期の祇園祭は、六月だったのかとお思いになった方もいるかもしれない。しかし、この旧暦を現在のグレゴリオ暦に直すと七月六日になる。だいたい、旧暦は現在の暦よりもひと月早いと思うといい。つまり、現在とほぼ同じ七月の暑さのなかで開かれていたということになる。

先に述べたように、京都の夏の蒸し暑さは相当なものがある。他の都市よりも特別暑く感じられるのは、気温自体より湿気が原因の一つに違いない。七月の祇園祭のころからは、深夜にいたっても気温が下がった感じがしない。山鉾巡行の前夜は宵山《よいやま》と呼ばれ、異様なほどの熱気が漂う。前祭の宵山に一度、出かけてみたことがある。

四条烏丸の交差点から四条通と烏丸通は交通が遮断《しゃだん》され、歩行者天国に変わる。烏丸通を上がる方向、つまり北の道路際には、これまで見たことがないようなもの凄い数の屋台がテントを接して並び、飲み物とジャンクフードを売り、コンビニも負けじと生ビールや焼き鳥を店前で売りさばく。

どこにこれだけの若い人が潜んでいたのかと驚くほど、浴衣《ゆかた》姿の女子高生やTシャツを着た大学生たちが広い道路を埋めている。観光客よりも地元民が多いようで、日中の市内より日本人の比率が高い印象だ。

四条烏丸交差点から四条通を東に、つまり四条大橋方面に進むと、山鉾のうち一番人気の長刀鉾《なぎなたほこ》が路上に聳《そび》えていて、頭上から笛と鉦《かね》と太鼓のお囃子《はやし》が響いてくる。だが、他を圧して大きな音は、「写真を撮るために立ち止まらないように」という警察官の拡声器の声だ。その警告にお構いなしに、通行者の大半は立ち止まってスマホで長刀鉾の写真を撮る。私ももちろん同じである。

京都では、三大祭のほかにも、地元に密着した祭りが多くある。京都には、神社やお寺の数が半端ではないので、それに従って常にどこかでお祭りが開かれている印象を受ける。先に洛中の町並みの紹介のなかで名前を挙げた下御霊神社は、地元民以外には馴染みが薄い名前だろう。この社《やしろ》は、政争で敗れ怨《うら》みを残して死んだ貴人たちの霊を鎮めるために、八六三年（貞観五年）に創建された古い社で、「下」という名称から想像できるように上御霊神社も北方に存在している。

ここでは、五月の下旬に二日間の祭りが催される。全国に名が轟《とどろ》くような有名な祭りではないので、純粋地元民のためのお祭りの雰囲気が漂う。神輿《みこし》も、子供たちによるミニ神輿も加わって何台も担がれ、普段は車数の多い寺町通もそのときは通行止めである。

驚くべきは、屋台の数の多さだ。御所南の寺町通を、神社前から二条通あたりまで埋め尽くす屋台の数は半端ではなく、西日本の香具師《やし》団が総勢集結したかのようだ。下御霊神社の境内に入ると、懐かしや射的場が設けられているではないか。三人ほど子供たちが挑戦するのを見ていたが、見事に的に当たらない。

このように地元密着のお祭りが町内ごとにあるので、少なくとも冬以外の季節は、市内のあちらこちらでお祭り騒ぎが展開するわけだ。近年の傾向として、日本全国でお祭りブームの感があり、廃《すた》れてしまっていた祭りを復活させたり、規模を大きくしたりというニュースをテレビで観ることが多い。しかし、京都は違う。昔から日常的に行なわれているることがよくわかるのが、京都の祭りなのである。

冬場にも、実は祭りがある。観光客よりも地元の人たちが楽しみにしている、二月三日の「節分の日」に行なう吉田神社の祭りである。吉田神社は百万遍《ひゃくまんべん》にある京都大学のすぐ東隣に位置している。お祭りを一度だけ覗《のぞ》いたことがあるが、ここも屋台の列が、小高い社に向かう参道の両側にびっしりと並んでいた。この祭りの名物は、札や材木を焼き上げるどんど焼きだったが、一時消防から禁止されてブーイングの嵐だったという。最近また復活したというのは、喜ばしいことだ。

「地蔵盆」を他国人は知らない

『京都寺町三条のホームズ』という人気小説シリーズの著者、望月麻衣さんは、夫の転勤に従って、北海道から京都に住まいを移した専業主婦である。彼女が京都に住んでから、一番驚いた風習は地蔵盆であったという。私もまったく同じである。

京都でも当然のことながら、お盆が八月一三日から始まるが、その一〇日ほどあとに控えているのが「地蔵盆」である。正確には、「地蔵会《え》」ということになろうか。

東京などの全国の主な地域では、八月はお盆のため、三日間から一週間ほど仕事を休んで、墓参りや帰省をする。八月のイベントはお盆だけで十分というのが、普通の日本人の感覚だろう。ところが、京都ではさらに地蔵盆というもう一つのお盆が、すぐ後に控えているのだ。

この風習は京都が発祥だそうで、京都市は地蔵盆を、「京都をつなぐ無形文化遺産」に選定している。無形文化遺産には、ほかに「京の食文化」「京・花街の文化」「京のきもの文化」などがある。この風習は、奈良や滋賀など関西地方でしか見られないものであり、私が京都暮らしをして最も驚いたと述べたが、逆に京都出身者が東京などに移って、この風習がないことに驚くこともあるらしい。

八月のお盆が終わってから、二四日あたりの土日のどちらか一日（二日間のところもある）に、市内各所の町内会単位で開かれる。京都市の自治会・町内会のうち約八割がこの催しを行なっていることが、数年前のアンケートからわかっている。

私の住まいがある二条通の町内では、土曜日に車の通行が止められた。お地蔵さんの祠《ほこら》の前が開催場所である。お地蔵さんの祠の周辺には、子供たちの名前が書き込まれた提灯《ちょうちん》が掲げられ、道路にはテントが設営されている。テント内には料理やお菓子が用意されている。テントの傍《かたわ》らには子供用のビニールプールが広げられ、水着の子供たちが入っている。その程度でも、狭い二条通には車が通れなくなる。交通を遮断するのは日中の決まった時間だけで、十分な空きスペースがある町内では道路封鎖はしていない。

私はこの奇異な光景を前に、最初は町内の単なる親睦《しんぼく》会なのだと思っていた。しかし、公然と道路が遮断されているのは、警察の許可を得ているわけである。単なる町内会の宴《えん》会《かい》では、こうした勝手は許可されないだろう。

町内で行われる「地蔵盆」

そこで、テントのそばに立っていた男性に尋ねてみた。すると「地蔵盆」であると、京都では一般的な催しなのだと教えてくれた。たぶんこれまで何度も訊かれたことがあるのだろう。関東モノが知らないのは当然という雰囲気が伝わってきた。

場所については覚えていないのだが、「藤梅町」という町内会の地蔵盆会の予定表を、通りがかりに撮影したことがあるので、その内容を以下に示そう。

平成三十年度　地蔵盆会プログラム
八月二十五日（土）
午前九時　お供え受付
午後二時　住職お参り数珠回し　随時おやつ
午後五時　後片付け　備品の引継ぎ
午後五時三十分　お下り　配り
八月二十六日（日）
地蔵盆会　お食事会
ソラリア西鉄ホテル京都「翠京」
タイムテーブル　ランチバイキング
現地解散

このプログラムのなかで、「数珠《じゅず》回し」とあるのは、この行事の中心のイベントで、子供たちが輪になって座り、住職の読経《どきょう》に合わせて、三〜五メートルもある大きな数珠を回していくのだという。ただし、京都市が数年前に実施したアンケートでは、数珠回しを実施している町内会は全体の半数以下に下がっている。ここに、宗教的な要素がだんだんと薄れて、言うなればエンタメ化していく傾向が見られる。

例に挙げた町内会では、二日目はホテルでの食事会を組み込んでいる。そこでは、たぶん大人たちはビールやワイン、日本酒などを飲むのだろう。地蔵盆が、宗教行事というより、町内の親睦会でもあることがよくわかる。

初日は子供たちのための行事なので、食べ物は巻き寿司やお菓子である。町内会によって違うが、「お菓子配り（藤梅町の「随時おやつ」がそれ）」「ゲーム大会」「福引き」など、子供たちに向けたイベントが用意されているらしい。

ここで、地蔵信仰について語らなければならないだろう。地蔵は子供の守り神である。賽《さい》の河原に立ち寄った地蔵は、早世した子供たちを地獄に連れ去ろうとする鬼たちを追い払い、子供たちを救ってくれる。そういうありがたい存在であることから、子供たちの守り神として崇《あが》められているのだという。

子供自体も特別に大事にされていることは、祇園祭でも顕著に表れている。山鉾巡行の

町中にある「祠」

先頭を行く長刀鉾の正面で、その年に選ばれた子供（稚児）が通り道を清める役目を果たす。山鉾の順番を決める「くじ改め」のときに、くじ札を奉行（市長が務める）に差し出すのも、選ばれた男児だ。祭りでも日常でも、京都の子供たちはこういう具合に大事にされているのである。

　京都での一人暮らしで、自分がよそ者であることを感じることは少なかったが、こうした古くからの風習に出会ったときには、突然異国に来たような新鮮な気分になる。それは、京都に住んでいるからこそ目撃できる民間行事であり、単なる観光客であれば、こうした町中の行事を知る機会はまずなかっただろう。

　そもそも京都人は「信心」が深いのか、市内各所、それこそ町内会ごとにお地蔵さんの祠が据えられている。わざわざ探す必要がないほど数が多い。町内会の当番の家族が、毎朝水や花を取り替えたり、掃除をしたりする。ときには菓子を供えたり、いしいしんじの『ある一日』（新潮文庫）という小説では、かいがいしく祠の世話をする様子が書かれているので、興味のある人は読んでみるといいだろう。

これほどたくさんお地蔵さんを祀《まつ》っている町は、全国でも京都だけだろう。京都市の調査では、各自治会・町内会のうち約七割で地蔵が町内にあるという。

信心が町の人々の支えになっている。こういうところに古都たる所以《ゆえん》が隠れていて、そこが東京のような無信心地帯とはまったく様相を異にしている点なのだ。小さな気づきではあったが、京都を考える場合、忘れてはならないポイントだと思う。清水寺の舞台や、苔寺《こけでら》の庭を観るだけでは、京都の普段暮らしのことはわからないだろう。

第三章

文芸編集者としての京都

祇園の夜の「いけず」体験

六五歳から京都市中に住むようになる前は、私も単なる旅行者であったに過ぎない。私の編集者人生の大半三〇年ほどは、文芸一筋、つまり文芸編集者であった。商売柄、小説家と会うために京都に来ることがたびたびあった。

その文芸編集者時代の京都は、大きく三つの時期に分けることができる。あえて表現すれば、京都を訪れるのが単純に楽しかった第一期、憂鬱《ゆううつ》で灰色の第二期、そして再び明るさを取り戻した第三期。

必ずしも真ん中の時期が不幸せであったとは言えないのは、やはり京都というただ者ではない環境のせいかもしれないし、若き日の辛いシーンもあとになるといい想い出に変わるからかもしれない。

第一期では、まず当時の大流行作家であった笹沢左保《ささざわさほ》との撮影旅行と、まだ新人作家だった黒川博行《くろかわひろゆき》との酒場巡りの夜のことを、第二期では大流行作家同士のコンビ、西村京太郎と山村美紗の文壇支配ぶりを、第三期では、画家・版画家、木田安彦の過剰なる生き様をお話ししよう。

一九七四年であったか、小説雑誌のグラビアページで笹沢左保の取材旅行を扱うことになり、笹沢氏、私、酒が飲めないカメラマンの三人で奈良と京都に向かった。目的は奈良だが、前の日に京都で遊びたいという笹沢氏の希望で、京都に泊まることにした。能天気と述べた前期でも、実は京都らしい「いけず」の経験を多少している。

当日かどうかは記憶にないが、かなり日が迫ってから予約を入れたに違いない。京都らしい店で食事をと調べた結果、超一流の割烹店「千花《ちはな》」に白羽の矢を立てたのだ。超有名店で、しかも席数が限られている。我々はカメラマンを入れて、三人である。本来なら、そんなに急に予約が取れるわけはない。しかし、店のほうで要求に応えてくれた。

カウンター形式の板前割烹だから、座敷で食べるのではなく、目の前で調理される様を眺め、ときどき板前さんと会話しながらいただくのが当然の仕来《しきた》りだったが、なんとか席を作ってくれるという。やはり老舗出版社か、笹沢氏の名前が利いたのだろうか。京都のお店がいかに名前を大事にするかが窺《うかが》えるが、五〇年近く昔のことであり、現代では応用が利かないかもしれない。

店内に入ると、やはりカウンター席はいっぱいだった。ところがなんと、普段は使われていない雰囲気の漂う二階の座敷に上がってくれと言う。

私はまだ作家の好みに通じていなかった。笹沢氏は、ご飯と味噌汁があればいいという、食通とは遠い人だった。せっかくの配慮でいただけることになったが、京都を代表するような料理なのに、笹沢氏は海老が苦手だと私のほうに皿を寄越《よこ》したのをはじめ、ほとんどビールだけを飲んでいるといった有様だった。

ふと、たぶん座布団の余分が欲しかったというような理由だろうが、私は部屋の押し入れのふすまを開けてスペアを探そうとした。見てはいけないものを見てしまったという表現があるが、まさにその言葉がぴったりと嵌《は》まる、「ありえへん」光景がそこに出現した。布団の隙間に老女がうずくまっていたのである。店の主人の母親か使用人かは、はっきりしないが、おそらく普段はこの女性が寝起きするための部屋だったに違いない。強引な東京の客が、いつも通りに暮らしていた老女を、一二時間ほども狭い空間に追いやってしまったのだ。

店舗の二階で家族が寝起きするのは、別段京都に限ったことではないが、威勢のいい外向きの表情の裏に潜む暗部を見せられたような気持ちになった。京都のような古い伝統が残る町に付きもののの因習と言うと、大げさだろうか。

食事のあと、会社の先輩がよく通ったと聞いた「勝きぬ」というバーに入ったときに受けた、冷たい応対も忘れがたい。肝心のママがお休みだったのがまずかったのか、事前に一本電話を入れるという段取りを怠ったせいかもしれない。

その夜の店を任されていた若い女性が、木で鼻をくくるという古い表現そのままの応対ぶりだったのである。まったく歓迎されていなかった。昔の「一見さんお断り」の名残だったのだろうし、若い私が酒場の作法を知らなかったせいもある。

その店には、祇園での豪快な遊びぶりで有名だった俳優・勝新太郎のプロダクション「勝プロ」の社員二人が偶然来店していて、彼らは笹沢氏が高名な作家であることを知っていた。しかし、客のステイタスを知っても、店の女性のふてくされ顔は変わらなかった。気心の知れぬよそ者は嫌いなのである。

これも、今思い出すと「京都やなあ」と思わぬでもない。そして、京都は役者の町だが、作家の町ではない。作家のステイタスが高い銀座と、そうではない祇園はそこが違う。

作家と飲み歩いた日々

私の在籍していた新潮社では毎年、京都で春に新入社員試験の面接を、「からすま京都ホテル」の会場を使って実施していた。私は早くから面接官だったので、京都での面接会にも参加していた。面接は二日間行なわれ、二日目の夕方に終わると自由の身となる。ほかのメンバーはその日のうちに東京に戻るが、たいてい私と出版部（単行本担当）のSは残って、小説家の黒川博行と木屋町あたりで飲み歩いた。

仕事の話をするわけではなく、ほとんど歌って過ごす。まだ、カラオケ・ルームが誕生する前であるから、カラオケ装置を置いてあるスナックで歌う。それから何年かして、有線で何千曲、何万曲というなかからの選曲が可能になるのだが、まだカラオケ創成期だったので、レーザーディスクに曲目が収録されていないと、目的の歌は歌えない。ところで、レーザーディスクというものを若い方々はご存じだろうか？

出発点は、だいたい縄手《なわて》通のスナック「チャム」だった。この店は、黒川氏が京都市立芸大で同級生だった友人から教えてもらったらしい。ママの名前は吉田真佐子といい、佐賀県小城町《おぎまち》（現・小城市）の出身だった。このママの出身でも推測できるが、京都においては、家業を継いだ人ならともかく、どの業種でも代々の地元民は少なく、他国からの流入者が圧倒的に多い印象が強い。当時もそうだったし、私が勤めていた大学でも、教職員のなかで京都人は少数だった。

さて「チャム」を出ると、次は木屋町のやはりスナックに移る。こちらの店については、まったく記憶がない。いつも一軒目ですでに酔っ払っていたのだろう。

この時代は、まず居酒屋などで食べてから、本格的に飲みに出るということをしなかった。居酒屋文化はまだ到来していなくて、スナック文化だったと言うと、驚かれるかもしれないが、まず食べてからというのは絶対的な原則ではなかったのである。食べるのも、飲むのも、すべてに不自由な時代だった。

木屋町筋を移動しているときに、黒川氏の恩師に遭遇したこともあった。京都市立芸大の先生で、一〇人ほどの学生と連れ立って歩いていた。「おう、黒川」と呼びかけるのに対して、黒川氏もため口である。黒川氏は市立芸大の彫刻科の出身であった。広大な東京ではありえない出遭い風景であるから、記憶に残っている。

そういう京都の夜の果てに、大阪住まいの黒川氏は市内の友達の家に泊まる。いつも何時ごろに別れていたのか記憶はないが、たぶん夜中の二時ごろだったのではなかろうか。我々編集者二人は、「からすま京都ホテル」まで四条通を歩いて戻っていく。

ここで、京都の水商売について考えてみよう。

京都で観光客は、食事はするが酒を飲むためにスナックへ赴《おもむ》くことは、ほとんどないだろう。せいぜい居酒屋のハシゴか、老舗のバーに行くかである。当時はインターネットという存在が皆無だから、ネット情報はまったくない。飲食店の情報は、雑誌で読むか、知り合いからの聞き込みに頼るしか方法がなかった。

だから、スナックは常連客を獲得するほかなかったのである。我々がスナック「チャム」を訪れるときに、相客の姿を見ることはほとんどなかった。京都でも水商売の難しさがあることをそのときに知った。

しばらくあとに、別のスナック「かをる」にたびたび訪れるようになった。こちらは、カウンターがメイン、埼玉出身のママ一人でやっている。客は常連ばかりだが、常に二、三人がカウンターに陣取っていた。常連らしきそれらの客の会話を聞いていると、どうやら大学の教員らしいとわかった。

そうなのである。京都は大学の密集地帯だから教員数が多く、また教員というのは実は酒に縁の深い職業なのである。教授や講師たちを常連としてつかまえることが京都では正解となる。

振り返ると「チャム」の商売の方法は間違っていたのだと思う。吉田ママは、女性たちを何人か雇って、ミニクラブのような形式で営業していたが、必然的に飲み代は高額になるため、教員が近づかない。高級店にするのなら、パトロンを見つけてドーンと押し出していかないといけなかっただろう。

中途半端にミニクラブのような体裁にしていたのだが、夜間人通りの少ない縄手通の雑居ビルの二階では、常連客を確保しなければやっていけないことは、簡単に理解できることではないか。水商売の女性たちにもマーケティングの才能が必要だが、そこまでの知恵と勇気を持つ人はなかなかいない。

その数年後に、「チャム」の吉田ママは、帰宅途中のタクシーのなかで脳溢血《のういっけつ》のために亡くなったのだが、私はその夜は西村京太郎と取材旅行に出かけていて、その死を知る由もなかった。

文芸編集者は「おべっか使い」か

エンタメ編集者にとっては、おそらく戦後最大の悲喜劇が演じられた時代だった。文庫が売れる人気作家から一冊でも多くの収穫を得るために、拝跪《はいき》競争を繰り広げた時代である。新人作家の原稿に徹底的に赤字を入れるとか、相手が大作家であっても正直な感想を述べるとか、理想の文芸編集者像から遠い場所にいて、手もみ、へいこら、ごますり、おべんちゃらなどなど、ここでは編集者というのは、おべっか使い以上の存在ではなかった。

そもそもは古典を収める器だった「文庫」に、流行のコンテンツを導入して大量販売を目指すという方法は、角川書店の角川春樹《かどかわはるき》が仕掛けたものだが、それがみるみるうちに出版界を覆ってしまっていた。コミックは別として、少なくとも文字モノにおいては、文庫が出版社の財布を潤す最大の柱になり、初版二〇万部以上は確実に保証される小説家に注文が殺到していたのである。

その筆頭が西村京太郎であり、赤川次郎であり、その次に山村美紗も控えていた。新潮社のような純文学を得意とする会社でも、西村・山村の連合軍は、社の財政を支えるために絶対に外せない一対のカードであった。

一九八〇年代後半から九〇年代に山村・西村の「京都時代」は、最盛期を迎える。私は他社の編集者たちより少し遅れて、この濃厚な京都時代を体験することになる。

東京から集まった出版社各社の編集者数十人の前で、当時、新米編集長だった私は、山村美紗から罵倒《ばとう》に近い言葉を投げつけられた。その月、彼女は「小説新潮」に作品を載せていたのだが、表紙における「並の扱い」に強い不満があったのだ。その直後、別室で山村さんから手を取られて、「東男《あずまおとこ》はすぐに腹を立てるけれど、これは、京都のやり方だから我慢してね」と慰労《いろう》された。ここでいう「京都のやり方」とはどういうものだろうか？

表向きは「罵倒」だが、本心は「そうではない」。表向きに罵倒しておかないと、ほかの人たちが納得しないので、不本意ながら罵倒せざるをえないのだ、ということらしい。表と裏の違い、建前と本音の違い、それが京都式だということなのだろう。

これほど明らかに、京都人自らが京都式を表明することは少ないと思うが、京都人すべてがこの意見に同調するかどうかは疑わしい。京都式というよりも、山村式といった色合いのほうが強いようにも思える。

ちなみに、山村美紗は京都生まれだが、敗戦前は日本統治下の韓国にいて、小学校から高等女学校までソウル育ちである。帰国してからはずっと京都在住だが、人格形成の基礎を形づくる時期に韓国にいた山村氏の京都式は、実は半分は外地式なのかもしれない。

もう一つ、京都式というと次のエピソードが思い出される。山村氏の父上が亡くなって葬式が京都を代表する寺の一つ、泉涌寺《せんにゅうじ》で行なわれたときである。山村氏の父上は長らく京大法学部の教授を務めていた方であったが、東京から集まった各社の編集者たちには「山村美紗の父親」であるということだけが問題だった。

文壇では、小説家の葬儀の手伝いは、受付から香典の集計に至るまで、編集者が執り行なうのが普通である。葬儀屋が儀式や手配の基本的な部分は受け持つが、それは商売だから当然で、編集者はもちろんボランティアである。

私は通夜《つや》の客を迎えるために会場の入り口に立って、会釈《えしゃく》をする係になった。隣には御大の西村京太郎も同じように、客が到着するたびに会釈を返していた。そのとき、強い叱《しっ》声《せい》が我々に投げつけられた。

「あんたら、なんでそんなところで偉そうに立ってるんや。お迎えするほうは、一段低い場所に立つのが常識やないか」と、まあ凄い剣幕なのだ。京太郎さんと私は慌てて、位置を反対側の地面が少し低くなっているほうに移した。

私一人が怒鳴られたのならいい。相手は天下の西村京太郎である。そのことを教えてやれば、たぶん「存じ上げないで、えろう失礼しました」と謝るに違いないが、私の推測では、相手の葬儀屋は西村氏と知って怒鳴りつけたのだ。「えろうすんまへんな。知りまへんで」とかペコペコ頭を下げながら、内心舌を出すつもりなのだ。

こうした羽振りのいい者に対する屈折した嫌がらせは、東京ではおよそ考えられないことである。山村美紗のヒット作を原作にしたドラマ「赤い霊柩車《れいきゅうしゃ》」シリーズで、葬儀屋の好人物の番頭さんを演じる大村崑《おおむらこん》の爪の垢《あか》など、欠片《かけら》もなかった。葬儀屋のような古い慣習を残している業種には、まだこのような体質が残っていたのだろう。

「いけず」を通り越して、これは「いけぬ」である。普段は顔を隠していても、儀式の場などで不意に顔を出し、他の地方の人間を驚かすのである。

今でこそ、山村氏が君臨していた京都時代を懐かしく思うこともあるが、当時は極度の緊張が強いられる時間であった。かつて濃厚な情緒に浸って歩いた、四条大橋、祇園、木屋町あたりの風景が変わってしまった。もちろん風景は昔のままだが、見る側の意識がゆがんでしまったのだった。京都からの帰路、新幹線車窓の景色はモノクロ一色の往路とは違って、総天然色のカラー版に戻っていたと言えば大げさに表現しているようだが、本当のことであった。

木田安彦の仕事と酒と死と

文芸編集者時代の京都は、以上の二期だけで終わりではなかった。第三期は、文芸編集者としての晩年に当たる。私が編集長を務めていた「小説新潮」の表紙を、京都出身、在住の画家・木田安彦に依頼したため、何度か京都を訪れることになったのである。

木田安彦は、高倉通の錦小路から少し上がったところにある高層マンションに、二部屋を所有していて、一つを仕事場にしていた。部員とともに、その部屋に初めて表紙の依頼に訪れた午後、木田氏は赤ワインのボトルを秘書に持ってこさせて、我々のグラスと自分のグラスになみなみと注ぎ込むと、たちまち飲み干した。私のグラスが空くと、自らボトルを手にして私のグラスを満たす。ワインのボトルが減っていくのに反比例して、氏の話し口調のボルテージはますます上がっていく。仕事にも酒にも徹底して付き合う人だとわかった。

木田氏は早世してしまうのだが、やはり根を詰めた猛烈な仕事量と斗酒《としゆ》なお辞せずの酒量にやられたのだと思わざるをえない。

最初の年の表紙は、舞妓さんの正面からの顔を一二カ月続けるというもので、髪飾りの変化で季節の移り変わりを見せるというのが木田氏のアイディアだった。しかし、単に髪飾りだけで変化を見せるという工夫は高度すぎたのだろう、「いつも同じ顔に見える」と一般には不評だった。

そこで、今度は木田氏の身近な人たちのなかで、強烈な個性がにじみ出た男女の肖像を描くことに切り替えた。だが、やはり絵の主張が強く、小説雑誌が基盤と考えている温和な読者層との乖離《かいり》が案じられた。社内でも反対の声が強くなり、私もとうとう表紙の作者の交代へと追いやられたのだ。

強烈な自信家の木田氏を説得するには、京都に行って誠実に当たって砕けるほかはなかった。私は一人で京都に赴き、正直にお話をした。「ちょっと、出ましょう」と木田氏は言い放ち、私をともなって京の路地を先に立って足早に歩いた。

まもなく私たちは、日本料理店「菊乃井」のカウンターに座っていた。その日は本店ではなく、高島屋の近くの店舗だったかもしれない。たぶん予約もしない、いきなりの入店だったと思うが、京都の日本料理の代表ともいうべき存在の店主、村田吉弘が応対してくれたのには驚いた。二人は、古くからの友人らしき会話を交わしていた。京都の文化人同士の気安さという雰囲気を、両者は濃厚に醸し出していた。

そのとき、木田氏はもちろん怒っていたのである。私に対しても、いやたぶん己に対しても。それが痛いほど伝わってきた。「もう一軒行きましょう」と木田氏の足は、先斗町《ぽんとちょう》に向かった。その店は、カウンターが長細い店内に伸びた無国籍料理の店だったと思うが、もう記憶が定かではない。

木田氏はその後も、年末になると松下電工（現・パナソニック）のもの凄く豪華な自作画入りカレンダーを送ってくれていたが、私が「小説新潮」から離れたときに木田氏との縁は切れたはずだった。

ところが、それから一〇年、私は京都にやって来た。大学に着任してすぐの四月だったと思う。木田氏の版画がたくさん飾られた料理屋「沙羅双樹《さらそうじゅ》」に、一人で入った。木田氏のファンである女将《おかみ》とは当然、木田氏の話題になる。「身体の具合が良くないので、禁酒されているようですよ」と女将のその言葉が終わらないうちに、当の木田氏と外国人女性数名が一緒に入ってきた。驚くべき偶然だが、何度も言うように京都は狭い町なのだ。

私はすぐに声をかけ、大学の名刺を渡した。「教授として赴任しました」と。すると、その名刺の大学名を見て彼は怒鳴った。「この大学、大っ嫌いなんだ」と。なぜ嫌いなのか、過去にトラブルでもあったのかとは聞かなかった。木田氏なら嫌いかもしれないなと、ただそう思った。この大学の創業者である強烈な個性の理事長とは、そりが合うタイプとは思えなかったからだ。

それから一年半近くが経ち、自宅にファックスが届いた。木田氏が八月一三日、悪性リンパ腫のために亡くなったという訃報《ふほう》だった。その年には、私はもう京都で暮らしていたので、お盆最終日の葬儀に、喪服を着て愛用の電動自転車を駆《か》って、三十三間堂《さんじゅうさんげんどう》隣りの法住寺というお寺に向かった。自転車を門前に乗り付けたのは、もちろん私だけだった。木田氏は筋金入りの「かぶき者」だったが、私もその類に違いない。

街角のあちこちに歴史が潜む

文芸編集者だった時代のことを語ったので、その流れで文芸関連の話題を続けよう。京都の町を歩いていると、いたるところで文学と出会うことは皆さん経験済みのことだろう。たとえば、地下鉄の烏丸御池駅から、市役所のほうに向かって、御池通南側の歩道を歩いていると、一本の石標が「在原業平邸趾《ありわらのなりひらていあと》」と教えてくれる。業平と言えば『伊勢物語』である。

京都は「千年の都」と言われるが、一〇〇〇年前の姿のままに残っているわけではない。京都人が「前の戦争」というとき、「応仁の乱」のことを指すのだと半分冗談で語られるが、これは太平洋戦争で京都は空襲を免れて、多くの文化財や町家が残っているからこそである。

ただ、応仁の乱以降、京都の街は大火にあって焼けていないかというと、そんなことはない。有名なのは一七八八年、明治維新よりも八〇年ほども前の「天明の大火」、通称「団栗焼け《どんぐりやけ》」という火事が、宮川町団栗辻子《づし》から出火し、御所や二条城あたりまで押し寄せて、広大な地域を焼け野原にしてしまった。その後、幕末の蛤《はまぐり》御門《ごもん》から起こった火事も大きかったのだが、「団栗焼け」ほどではなかったという。

明治維新後の廃仏毀釈《はいぶつきしゃく》の令、小さな火事や町の改造など、太平洋戦争で空襲に遭わずとも、生き物である限り町が変貌することは理の当然である。ことに近年の地上げによる大規模改造で、京都の街の風景にはかなりの変化が現われている。しかし、である。歴史と文学の面影を探すのに、京都ほど相応しい土地は全国どこと比べてもないだろう。

私がよく通った寺町通のカフェ「進々堂」から北、丸太町通にぶつかる手前の東側に、石標が立っており、そこが幕末期の学者・横井小楠《よこいしょうなん》の殉難の地であることがわかる。横井は御所からの帰途、この場所で暴漢に襲われ、命を落としたのである。この碑の前では、森鷗外《もりおうがい》『津下《つげ》四郎左衛門』、あるいは山田風太郎《やまだふうたろう》『明治断頭台』を思い起こす人もいることだろう。

歴史上の英傑を描かせたら、この人を措《お》いて他はないと思わせるのは司馬遼太郎であろう。司馬の小説でその人物の物語を読んでいると、その石碑の背後に昔日《せきじつ》のストーリーが蘇ってくる。物語の力は凄いもので、教科書などで名前だけ知っているのと、その人物が活躍する小説や映画の記憶が残っているのとでは、気持ちの入り方がまったく違ってくる。

宮部鼎蔵《みやべていぞう》をご存じだろうか。肥後熊本藩士で脱藩し、長州が主導した尊皇攘夷運動に身を投じた人物である。新選組が一躍名を上げた池田屋事変に遭い、追い詰められて自刃している。司馬遼太郎の『世に棲む日日』の読者であれば、吉田松陰が熊本に旅したときに意気投合し、以後「終生の親友」となったこの傑物の、友情に篤《あつ》い、豪放な人柄が記憶に残っているだろう。

そうした読者が、三条通木屋町西の池田屋跡にある石碑の前を通るときには、自刃して果てた宮部に思いを馳《は》せることになる。宮部が命を落としたとき、すでに盟友・吉田松陰は安政の大獄に連座して処刑されていたのだが、生きていたらどれほど友の死を嘆き悲しんだことだろう。

新選組を扱った小説では、子母澤寛《しもざわかん》の『新選組始末記』が決定版でもあり、第一次資料でもあるので、さすがの司馬遼太郎もこの本を基盤とせざるをえなかったが、『燃えよ剣』は、新選組副長の土方歳三を主人公に据え、人情味溢れた英雄として描いていて、子母澤の本の土方像とはかなり隔《へだ》たりがある。

私のなかでは、『始末記』のドキュメントタッチの叙述の本当らしさが勝ってしまっていて、『燃えよ剣』の土方には共感できないのだが、この小説のファンは多くて、土方の生地である日野市の菩提寺《ぼだいじ》・石田寺《せきでんじ》に詣《もう》でる歴女たちが絶えることはない。私も日野の人間なので、土方には多少の思い入れはあるが、なにぶん『始末記』の呪縛が強すぎて、どうにも好きになれない人物だ。

京都には新選組ゆかりの地がたくさんある。壬生《みぶ》の新選組屯所跡、「油小路の変《あぶらのこうじ》」の七条油小路や先ほどの池田屋跡などであるが、そんな私だから、それらを訪れても陰惨な気持ちが蘇るだけだった。

「溝口健二」と「谷崎潤一郎」の墓参り

パリでスタンダール、ウィーンではベートーヴェン、ブラームスなどの作曲家たち、モスクワではチェーホフの墓に参ったくらいに、私はほどほど（?）のお墓マニアである。京都では、探せば数え切れないほどの著名人の墓があるはずだが、映画監督・溝口健二と小説家・谷崎潤一郎の二人の墓しかお参りに行っていない。ともに元は東京の人である。

溝口は、関東大震災のために東京を離れ、撮影所のあった京都に住まいを移した。京都がことのほか肌にあったようで、白血病のため府立病院で亡くなるまで、京都の風土に親しんだ。お骨は東京の菩提寺と、京都は岡崎の示現山満願寺《じげんざんまんがんじ》に分骨されている。

満願寺は、観光客の多い平安神宮やロームシアターなどの東側にあり、人通りの少ない通りに面した小さなお寺である。それでも寺門は大きく聳《そび》え立っていて、その下をくぐって入ると、右手先にお墓というより記念碑のようなものがあり、溝口の功績を称《たた》えた文言が刻まれている。〈世界的映画監督　溝口健二ヲ偲《しの》ビテ〉とあり、この碑を建立したのが、大映のオーナー永田《ながた》雅一《まさいち》であることがわかる。

よほどの映画ファンでないと訪れないであろうことは、境内の人気《ひとけ》の少なさから想像された。見かけは単なる顕彰碑に見えるが、ここに溝口のお骨が葬られている。大学の映画学科のF君に教えたら、その後行ってみたらしい。その報告をもらったときは、なぜか嬉しかった。

「横口健二」の墓

「谷崎潤一郎」の墓

溝口は「祇園」と名の付く映画を三作撮っている。「祇園祭」「祇園の姉妹《きょうだい》」「祇園囃子《ばやし》」の三つで、後者二作を私は観ている。「祇園の姉妹」は、祇園の芸者集団では一番格の高い甲部ではなく、格下と言われていた乙部を舞台に、依《よ》田義賢《だよしかた》が脚本を書いた。

有名な「都をどり」は春の甲部の、「祇園をどり」は秋の乙部（現在は「祇園東」と改称）の催し物である。ある本に、この映画のなかのセリフを引用し、当時は祇園も社会的に低い階層と蔑《さげす》まれていたのだと述べられていたが、祇園乙部だからこそ、そういうセリフが出来たのだと依田氏が証言している。

まことに京都のことは京都に訊けである。私もきっととんちんかんな知識を披露している箇所があるのではなかろうか。

谷崎潤一郎は、戦後しばらく京都下鴨に暮らしている。潺湲亭《せんかんてい》と名づけられた家は、当時のまま残っているが、日新電機という会社の持ち物になっていて、一般公開はしていない。京都を非常に気に入っていた谷崎も、溝口同様、東京の下町生まれなのは面白い。東京から移った京都の文化に触れて、すっかり参ってしまうパターンは同じである。

さらに面白いことに、谷崎は結局京都を離れてしまい、亡くなるまで熱海や湯河原に住むことになるが、京都の寒さに耐えかねたのだという。現代の高気密住宅の時代であれば、洛中から北へ上がって、さらに寒さがきつい下鴨の気象にも耐えられたかもしれない。それでも、京都への気持ちは変わらなかった谷崎は、京野菜だけはわざわざ取り寄せていたという。

そして、亡くなったときに、お墓は北白川の法然院《ほうねんいん》と決めてあったようで、今その墓地では、谷崎夫妻と松子夫人の妹夫婦のお墓が仲良く並んでいる。自然石に「寂」と草書体の一文字が彫られた谷崎夫妻の墓石の上には、平安神宮の神苑《しんえん》に咲くことで有名な紅枝垂《べにしだ》れ桜が植えられており、花の季節には紅の花々をまとった枝を墓石の上に垂らすのである。

谷崎の長編『細雪《ささめゆき》』には、こうある。

〈彼女たちがいつも平安神宮行きを最後の日に残して置くのは、この神苑の花が洛中に於《お》ける最も美しい、最も見事な花であるからで、円山公園の枝垂桜が既に年老い、年々に色褪せて行く今日では、まことに此処《ここ》の花を措いて京洛の春を代表するものはないと云ってよい。〉

(『日本の文学・谷崎潤一郎(二)』中央公論社)

川端康成も『古都』において、神苑と御室《おむろ》の桜を描いているが、ずっと後輩作家の渡辺淳一は、祇園の三姉妹を主人公に据えた『化粧』の冒頭で、京都では一番遅咲きの「原谷《はらだに》苑《えん》」を使っている。原谷は遅咲きの御室からさらにあと、四月の半ばに盛りの時期を迎える。舞台選びにも作家の周到な計算が背後に隠れているのだ。

ある「純粋京都人」は、その著作のなかで、平安神宮の枝垂れ桜をご大層にありがたがるのは、「よそさん」の証拠だと笑っている。それならばどこの桜がいいかというと、北野白梅町《きたのはくばいちょう》の平野神社だという。確かに平野神社の桜は、雑種ソメイヨシノだけではなく、日本古来の純粋種を含め、多種の桜樹が花をつけるようだ。二〇一八年の台風で被害を受けたことで記憶に新しいが、知る人ぞ知る地元民の愛する名所であり、観光客にとっては穴場的な場所かもしれない。

しかし、花の綺麗さは、めいめい自由勝手に感じればいいものであって、どこの桜が一番だなどと決めつけるのは馬鹿げている。

東京にも桜はたくさんあるが、私が毎春見上げては嘆賞していたのは、通勤時に利用していたJR日野駅に近い駐輪場に掛かる大昌寺《だいしょうじ》参道の桜だった。大昌寺は、新選組の母体・近藤道場の後援者だった佐藤彦五郎夫妻の墓所がある寺である。

自転車を出し入れする一瞬、散りぎわの花吹雪のなか、無数の花びらを浴びて立ち尽くす幸福感といったらなかった。その程度の桜で十分なのである。

私が街角に歴史や文学史を見出すのは、ほとんどが偶然の出会いである。谷崎の墓も最初から目指して探し出したものではない。勤務する大学が銀閣寺に近く、参道から哲学の道を辿ると、すぐに法然院に着くからであった。

「中原中也」で巡る京都

偶然ではなく、意識的に回った場所もある。私は通勤に電動自転車を使っていたので、往復分の電気料で回れる場所に、天気がいいと出かけて行った。長い急坂を登っていかなくては行けない北区鷹峯《たかがみね》にある光悦寺《こうえつじ》であっても、電動だから自力で行けてしまうのだ。

そのようにして自転車で回った場所として、たとえば、詩人・中原中也《なかはらちゅうや》の足跡がある。

中原中也の詩を好んで読んでいたのはもうずいぶん前、前途が見えない青春時代のことだが、詩の断片のいくつかが記憶の片隅に今でも貼りついているような気がする。

たとえば――

さよなら、さよなら！
あなたはそんなにパラソルを振る

僕にはあんまり眩しいのです
あなたはそんなにパラソルを振る

（「別離」『中原中也全詩集』角川ソフィア文庫）

中也の詩にはなんともいえぬ悲しさと可笑《おか》しみがあって、ユーモアの欠けた詩が苦手な私には魅力的だった。正確な引用ではないが、〈ほらほら、これが僕の骨、生きていたときには、これが食堂のおしたしを食べていたと考えると可笑しい〉とか、〈あゝ、家が建つ家が建つ。僕の家ではないけれど。〉など、気に入っているフレーズがすぐに浮かぶ。今でも建築中の家の前を通るときなど、「ああ、家が建つ家が建つ」と胸中で呟《つぶや》いてしまう自分がいる。

中也は太平洋戦争が始まる前に亡くなっているから、戦後の世界どころか、治安維持法の暗い世相も知らないで死んだくらい昔の人だ。だから、生きていたときの中也が見ていた風景や出入りしていた場所を、当時の姿を彷彿《ほうふつ》させる状態で見出すことは普通は難しい。特に空襲で全部焼けてしまった東京では困難だ。

中也が最後に住んだ鎌倉は、幸い空襲に遭うことが少なかったから、小林秀雄《こばやしひでお》と一緒に訪れたという妙本寺《みようほんじ》もかつての姿のままに残っている。だが、二、三年前に訪れたときには、小林と中也が二人で見惚《みと》れたとされる境内の海棠《かいどう》の樹はすでに枯れて、新木に植え替わっていた。

ところが、京都という町は千年の都というように、時空を超えた幻想を見させてくれるところがある。いや幻想ではなく、現実であるところが京都の凄いところだ。

「あさひらいふ京都」というタブロイド判のタウン紙がときどき配られてきた。その第一面に、地元の歴史についての記事が載ることがあるが、誰もが知っている大きな歴史ではなく、地域の小さな歴史、つまり郷土史家の視点から語られる内容のものが多いのが嬉しかった。

二〇一八年四月の「あさひらいふ」で、立命館中学に編入するために京都へ来た中也が、古本屋で運命的な出会いをする話題を取り上げていた。出会いの相手は一冊の詩集、高橋《たかはし》新吉《しんきち》の『ダダイスト新吉の詩』であり、この逸話はあまりにも有名なので、それだけだとどうということはないのだが、中也が入ったその古本屋が丸太町橋の袂《たもと》にあったと記されていて、目が吸いつけられた。

今はその本屋はないので、丸太町橋の西側か東側かはわからないが、橋の西南に位置する「コナミスポーツクラブ」に私は通っていて、一階にある「FRESCO」も行きつけのスーパーだった。つまり、日常的に行き来している地域が、一〇〇年前に中也が歩いていた場所だと想像することができ、その不思議さに感動したのである。

「あさひらいふ」の記事は、さらに過去の歴史的な事実も教えてくれた。私は通勤するとき、丸太町橋の手前を左折して北へ向かったのだが、そこの路地は二股に分かれている。中也の昔も路地の形は変わっていなかったようで、今も西三本木通、東三本木通と名前が付いている。

この二つの通りは、江戸時代の中期には、「旅館や料亭が軒を並べる花街」として賑わっていたという。御所に近いせいか、京都の花街のなかでも最も筋のいい客が訪れていたとも。往時の賑わいはとっくになく、有名な花街が五カ所ある京都の地元民でも、この花街の存在を知っている人がどれだけいることだろう。

今は完全に住宅街だから、花街の雰囲気を偲ぶよすがもないように見えるが、どっこい東三本木通のなかほどに、元料亭「吉田屋」跡を示す案内板が掲げられている。なんと、この場所は幕末の志士・桂小五郎と芸者・幾松《いくまつ》のゆかりの場所ということらしい。さらに、なんとなんと、この料亭跡が立命館大学の創設の地であることも、道路際に立てられたその案内板で知ることができるのだ。

いやはや、これが京都というところの凄さなのだ。場所の記憶の一つひとつが、一流の歴史を秘めている。

中也にまた話題を戻そう。今度は、ゆかりの飲み屋。四条通、高島屋向かいの小さな路地を入るとすぐに、「柳小路」という看板が頭上に掲げられている。この小路の先を行くと、右手に「静《しずか》」という一文字の名前の居酒屋がひっそりと佇《たたず》んでいる。

この店は、中也が京都にいたころは「正宗ホール」と呼ばれていたそうだ。さすがに外見は変わったものの、内部の壁の一部は中也が訪れていたころと変わっていないという。

一度、この店で酒を飲んだとき、女将さんに「中原中也が来たころと変わっていない壁はどこですか」と訊くと、「中也さんのころの壁は左手の奥ですよ」と教えてくれた。「中也さん」と知り合いのように語ってくれたのが嬉しかった。

ネットの時代でありがたいのは、中原中也が京都時代に何度も変えた下宿の跡を、全部調べて訪ねることができることだ。「東京紅團」というサイトの「中原中也の世界を巡る――中原中也の京都を歩く」というページでは、中也が下宿した七カ所の場所を、地図も載せて教えてくれている。中也が京都にいたのは、一九二三年四月から一九二五年三月

（大正一二年から一四年）の丸二年間だけなのに、七つも下宿を移っている。
ある日、その地図を頼りに、中也が恋人・長谷川泰子《はせがわやすこ》と同棲し、男女関係になった下宿があった、北野白梅町近くの場所を訪れた。下宿跡の様子は激変しているようだったが、中也が見たであろう下宿前の「椿寺」は健在だった。このお寺は、今でこそ閑散《かんさん》としているが、かつては地元の住民に人気の場所だったそうだ。
中也は京都から憧れの東京に旅発《たびだ》って、のちに京都のことを「ゆきてかへらぬ」という詩に歌う。

木橋の、埃りは終日、沈黙し、ポストは終日赫々《あかあか》と、風車を付けた乳母車《うばぐるま》、いつも街上に停《とま》つてゐた。

（「ゆきてかへらぬ」『中原中也全詩集』角川ソフィア文庫）

中也が暮らしていた時代からほとんど一〇〇年後に、私はいまだそのままの状態で残った痕跡《こんせき》を目にしている。繰り返しになるが、それが京都なのである。

第四章　住んでわかった「食」事情

普段使いの「外食」には適さない

ここでお話しする「外食」というのは、特別のご馳走《ちそう》ではなく、自宅以外で食べる普段の食事の意味である。さらに詳しく規定すると、酒を飲むための食事ではなく、たとえば子供連れの家族がする食事の意味である。

私のような糖尿病持ちの人間が、自宅以外で食事する、つまり外食することは、どの地域でも簡単ではない。京都のみならず、東京でも事情はさほど変わらない。それでもやはり、東京のほうが京都よりも選びようがあるというのが、私の印象であった。

大学勤務の初年度は、東京からの通いだった。京都にいるときは、当然ホテル暮らしであり、自分の家で家庭料理を味わっているわけではなく、私が食べているものは、ほとんど誰か他人が作った料理、つまり外食あるいはスーパーやコンビニで購入する中食《なかしょく》なのだった。

最初に断定すると、京都、特に中心部は、普段食べには適していない町だ。繁華な通りにある店のほとんどは観光客に顔を向けている。試しに四条河原町から木屋町筋や先斗町筋、または新京極や寺町通をぶらついてみるといい。定食屋や気軽な中華屋が目につくことはまずないだろう。観光客がただ目的もなく歩き回っても、そういった気楽な店に遭遇するのは難しい。

京都に外食チェーンが進出していないわけではない。「なか卯《う》」というどんぶり専門のチェーンは、中心地を外れると結構目につく。どんぶりチェーンでは、ほかに「すき家」も多い。学生街や中心部からちょっと離れた地域で見かけることが多い。同じ牛丼でも、「吉野家」は京大のある百万遍でしか見たことがない。調べてみたが、やはり基本的に、周縁部にしか出店していない。

逆に京大のある百万遍には、そういうチェーン店ばかり軒を連ねている。「マクドナルド」「餃子の王将」「すき家」「サイゼリヤ」。「王将」は、中心部でも結構店舗数は多い。烏丸御池には、「ＯＨＳＨＯ」と店名をアルファベットにして、外観をオシャレなイメージで固めた人気店がある。関東で多店舗展開している「日高屋」は、まだ進出して来ていない。長崎ちゃんぽんの「リンガーハット」も、京都中心部では祇園の近くに一店舗あるのみ。

もちろんラーメン店は、中心部であろうが、郊外であろうが、いたるところに目につく。ラーメンと餃子、それとチャーハンくらいでいいという人は、どこを歩いても不自由することはない。ちょっとした人気店には行列ができている。

あと気楽なのは、有名コーヒーチェーンで食事をすることだ。スターバックス、タリーズ、ドトールの三大チェーンは、中心部であっても探すのに困難ではない。パン食で良ければ、「コメダ珈琲店」を加えて、こういう店でも十分である。地元由来の店が良ければ、「進々堂」や「SIZUYA（志津屋）」という線もある。

観光客が求めているのは普通の食事であることが多い。だが、祇園をはじめ、河原町三条、四条などの繁華な通りに立ち並ぶ店は、どれも酒を飲ませる店で、単に「飯」を求めている観光客の嗜好に応えてはくれない。これは、かのヴェネツィアでも感じたことで、ハレの日の料理しか用意されていないのである。

中華はともかく、京都の学生や普通人にとって不幸なのは、ファミレスチェーンが少ないことである。「ガスト」「サイゼリヤ」「ジョナサン」「ロイヤルホスト」など、ファミレスの数が少なすぎる。もちろんないわけではない。河原町三条、四条あたりにも、さりげなく二階に陣取っていたりする。一度、烏丸丸太町の「ガスト」に入ったときには、同志社大学の学生たちで満席に近かった。学生たちもファミレスにしか行き場がないのだろうと気の毒に思った。

アーケードの掛かった寺町商店街は通行人が非常に多いが、その数に比して食べ物屋が少ない。ファッションやシューズの店ばかりが目につく。一本東隣の新京極商店街と比べると、観光客向けの土産物店は少なく、いつも順番待ちの列が絶えない老舗の「スマート珈琲店」やコーヒーチェーンの「タリーズ」などもあるのだが、家族連れやカップルが気楽に入れる食べ物店が非常に少ない。

夜の散歩で二〇時ごろに歩いていると、店の前に列ができている食べ物屋が二軒あり、一つは天ぷら屋「まきの」、もう一つはとんかつ屋「とん一」である。どちらもカウンター席がメインで、値段も一〇〇〇円前後とリーズナブルである。「京料理」と銘打たれた飾りばかりで実質の乏しい「和食」に、五〇〇〇円以上払うことを考えるより、こうした普通の食堂に入るほうが利口であることは、観光客もよくわかっているのである。

この二軒の行列に、青い目の家族連れの姿を目にすることも多い。コストパフォーマンスにうるさい外国人観光客は、一〇〇〇円さえ使いたくないようで、コンビニで買ったお菓子などをかじって歩く。商店街の立場では、より利潤の大きい値段設定の食事をさせたい腹だろうが、どっこい多くの観光客は、今後ますますそういった見え見えの商法には乗ってこないだろう。

河原町三条に「ガスト」、四条通にも「サイゼリヤ」が二階に入っていると述べたが、京都に来てまでガストじゃな、とためらうのも観光客だから、「まきの」や「とん一」のような店がもっと増えてほしいものだ。農場レストランと銘打った「モクモク」という店は、上質なバイキング料理の店だが、夜だと一人当たり二五〇〇円はする。この値段だと、高いと考える客も少なくないだろう。

河原町通の四条近くにあるショッピングセンターOPAの裏には、常に行列のできている人気レストランがある。「サラダの店」と謳《うた》っている「サンチョ」である。長い行列を見るたびに、皆さんサラダにそれほど飢えているのだろうかと疑問に感じていた。

ある日、開店前に並んで、ステーキの定食を味わってみた。カウンターのみの店で、目の前の狭苦しい厨房で、店主以下スタッフが手を休ませる暇なく、カツを揚げ、ステーキやハンバーグを焼き、そこにさっと大量のキャベツ主体の野菜を盛っていく手際が、ほれぼれするほど見事であった。

決して盛りの綺麗な皿が提供されるわけではないが、野菜は普通の盛りでも他店の二〜三倍サイズ、牛肉も高級ではないが、処理がいいのか旨み十分、内容にしては廉価で、人気の理由に納得である。おそらくネットの書き込みによって、観光客もたくさん流入しているのだろう。

フェイスブックでステーキ定食の写真を添えてアップしたところ、京都生まれ京都育ちの知り合いから、「高校生のときによく通いました。懐かしいです」とコメントが届いた。この方が高校生のときというのは、たぶん二五年は前のことである。それが今でもこの人気を保っていることに、他の繁盛していない店は注目するべきだろう。

店内のキャパシティが小さいので、一人ひとりにこれだけの手間をかけて調理すれば、当然、表では行列ができてしまうというわけだ。こういう食事を、観光客のみならず地元の人間も求めているのだ。昔ながらの一種「ぼったくり」の京都商法は、見直さないと客はどんどん逃げていく。地付きの商売人たちは、さらに痛い目に遭わないと気がつかないのだろうか。

「薄味淡泊」の裏表

京都の味覚について誤解があるのは、まず「薄味淡泊」についてであろうか。色が薄いことイコール味が薄いわけではない。「京ラーメン」と謳っている店に入ると、スープは透き通っているのに、見かけを裏切るほど強い塩味であることに驚いたことが、どなたにもあるのではなかろうか。

特に東京で「京都風」と称している食べ物屋だと、そうした経験が多いはずだ。色合いだけ薄くして、それを京都風と言っているだけなのだ。

京都発祥のラーメン全国チェーンの「天下一品」のように、こってりしたスープを売り物にした店もある。「京都の料理の味は実は濃い」と大発見したかのように吹聴《ふいちょう》する向きもあるが、東京や九州からの店が大々的に進出してきている現状では、全体的に味が濃くなっていくのは当たり前である。

「天下一品」のようなこってりラーメンが流行《はや》ったのは、京都に学生が多く、しかも大阪をはじめ、関西地区の各県から集まって来ているため、実は学生たちの京都出身者は意外と少なく、そういう学生の嗜好に合致したせいだと想像する。

京都では、料理屋でも家庭でも薄口醤油をよく使う。私もスーパーでヒガシマル醤油の薄口の大ボトルを買ってきて、野菜にかけるドレッシングを作っていた。といっても、醤油と米酢をミックスするだけのものであるが、濃口醤油だと理想の味にならない。醤油の味が勝ってしまうからだ。

薄口醤油と濃口醤油は単に色が違うだけではなく、薄口は製造過程で甘酒や水飴《みずあめ》を用いているという。本来の醤油成分を弱めているらしい。濃口は醤油が前面に出てしまって、醬油味そのものになってしまうが、薄口は素材と出汁の旨みを殺さないということらしい。出汁が命の京料理では薄口しか使えない。ただし、塩分の量は薄口のほうが濃口よりも多いので、色は薄くても塩味は強く感じるわけだ。

純正京料理の味は、やはり出汁が命である。決して高級店ではなくても、古いお店ではときどき水で煮たような薄味の京料理に出会うことがある。出汁のみで塩も醬油も使っていないと感じるほど、味が薄いのだ。

祇園のおばんざい料理「山ふく」は、極致の薄味が味わえる店で、作家・山口瞳の行きつけだった。文芸編集者の時代に何度か訪れたが、最近閉店してしまったようだ。「おから」「じゃこおろし」「なっぱ煮」など、小鉢の品数はずいぶんと多かったように思う。若いころは料理に物足りなさを覚えたが、たぶん今なら違う感想を持てるだろう。

このあと京都のお菓子の項でも取り上げる「ぎぼし」では、あられの詰め合わせの「吹よせ」が一番人気商品であるが、元々は昆布屋なので、北海道の昆布を丁寧に干して作った昆布茶も作っている。

この昆布茶たるや、お湯を注いでしばらく置いて飲んでも、昆布の香りはするもののほとんど味がない。超薄味というより、味がないに等しいのである。湯飲みの底に、秘めやかに忍んでいるグルタミン酸を感じ取れるだけの、舌の繊細さが必要となる。伝統のある店ではこうした品物を扱っていて、やはり京都の奥の深さを感じさせてくれる。

「京風」と名乗る看板に騙《だま》されてはいけない。先斗町に居並ぶ京都風の店々も相当数が東京資本だというし、東京やその他の地方のお客が大方だとすると、外食の味は一度で美味しいと感じる強さを求められるので、「京風」の味は濃くなっていくばかりである。

「京都中華」を知っていますか

ここまで散々、糖尿だ、外食制限だ、自炊だ、と述べ立てておいて、結構自由に食べているじゃないか、と呆れてしまう方もいらっしゃるだろう。言い訳をすると、私の糖尿の平均数値は今や通常人レベルであること、またいくら外食を避けるといっても、一週間に一度は普通の食事をするほうが、身体にも精神にもいいと考えているからである。

京都に住んでいる間、私の愛読書は姜尚美《かんさんみ》『京都の中華』（幻冬舎文庫）だった。愛読書というものは、同じページを何度も読めることが特徴だが、私の場合、文春新書の『クラシックCDの名盤』のシリーズ（著者は宇野功芳《うのこうほう》ほか）がこれまでは、寝しなの一冊であったが、それに加わったのがこの本だ。

この本はただのガイド本ではなく、古都の奥深い文化がどのような経過を経て成り立ったのかを、決して声高にならずに教えてくれる。また、取材の際に得たそれぞれの店の家族の歴史や料理人の心意気など、人間的な部分も温かく掬《すく》いとっていて、読後の気持ちが爽やかになる。

初めて京都に来る人は、まず割烹料理とか懐石料理とか、日本料理を味わいたいと思うかもしれない。それは当然である。だが、何度も京都を訪れている人には、「京都の中華」を食べることをお勧めする。日本料理とは別の角度から、古都の歴史を舌の上で知ることができるのだ。

レベルの高い日本料理は、東京でも味わえる。京都中華は京都にしか存在しない。京都らしさを目の前でわからせてくれるのは、中華をおいてほかにはないとまで、ここで断言してしまおう。

もちろん、東京や横浜にごまんとある高級中華や、中国人がコックを務める神戸や大阪と同じ種類の中華を食べては意味がない。さらに、京都のすべての店が、「京都の中華」ではない。たとえば、四条大橋際、ヴォーリズ設計の堂々たる建物の「東華菜館」がまずいとは言わないが、料理自体は京都独自の中華というわけではないのである。

ここで、京都中華とはどういうものなのかを説明しておこう。かいつまんで話すと（詳しくは『京都の中華』を読んでほしい）、出汁は鶏ガラのみか、昆布を加えるかで、和風の出汁に近い。普通の中華で必ず使う旨み調味料を使わない。紹興酒《しょうこうしゅ》、ニンニクなど、食後も匂いが残る材料を使わない。ショウガの量も抑えるようだ。要するに「京都の中華」とは、和食風の中華だと思えばいい。

花街に近い場所で発展したという歴史が、匂いの残る食材をシャットアウトするように仕向けたらしい。仕事前に食事をする芸妓《げいこ》さんたちには、ニンニクなんてもっての外なのである。長い春巻きは、中身が零れて着物を汚すとか、口の周囲に貼りつくとか、芸妓さんに不評で、「こんな長い春巻き、よう食べへんわ」などと文句を言われて、「糸仙」の春巻きは短くなったという。

「京都の中華」の店は、花街に生きる芸妓や土地のうるさ型の口に合うように工夫した料理法を今も維持しており、初めはインパクトに欠けるように思えても、いったんその味わいの深さに気がつくと、本格中国料理はもとより、チェーン店だが活《い》きのいい中華を廉価で食べさせてくれる「珉珉《みんみん》」「王将」などよりも、食べる喜びが得られることは必至である。風味が淡泊な分、毎日食べられるのも嬉しいことだ。

そのような京都独特の中華を味わえる店を訪ね歩くのは、なかなか楽しい。私が『京都の中華』を道案内にして訪れたのは、紫野《むらさきの》の「鳳飛《ほうひ》」「中華のサカイ」、上七軒の「糸仙」、府庁前の「ハマムラ」、祇園の「平安」「竹香《たけか》」「八楽」、新京極の「龍鳳」、四条河原町の「芙蓉園」、東山の「ぎをん森幸《もりこう》」、浄土寺の「盛華亭」、河原町二条の「鳳泉」、夷川室町の「やっこ」（蕎麦屋だが中華メニューあり）。行きそびれてしまった店も何軒かある。

「ハマムラ」の春巻き

「京都の中華」の成立には、最古参の「ハマムラ」が開店した一九二四年（大正一三年）からの歴史があるということだが、その後、客の声に従って改良を重ねて現在の姿がある。何度も言うが、昨日今日できた文化ではなく、長い時間をかけて出来上がった食文化なのである。

客が黙っていないで自分の好みを述べるとき、「こうしてほしい」と言うのではなくて、「こんな長いの食べられへんわ」というような独特の婉曲《えんきょく》言語で伝える。店の主《あるじ》には、そんな言葉でもずきんと胸に響いたに違いない。京言葉には、表面の柔らかさ以上に強いメッセージが隠れているからだ。このような客と店主の関係は、直接言語表現が主流の東京ではありえないだろう。

「京都の中華」には二つの系列がある。閉店してしまった「鳳舞《ほうまい》」系列と、「盛京亭《せいきんてい》」出身の流れである。店名に「鳳」という一文字が入っていると「鳳舞」系だし、「盛」の文字があると「盛京亭」系である。ただし、「盛京亭」系列であるが、祇園「八楽」のような「盛」を使わず、内容的にも独自の料理を提供する店もある。

「鳳舞」は京都中華の祖と言うべき高華吉《こうかきち》という中国から来た料理人が経営していた。この人が手がけたのは、ほかに「飛雲」「第一楼《だいいちろう》」があり、この二軒からの系列店も京都中華の伝統を引き継いでいるという。「芙蓉園」「平安」「竹香」「糸仙」などが、そのなかに入る。

京都中華の一方の中心、「盛京亭」には何度か足を運んだが、とうとう縁がなかった。祇園四条通から細い路地を入った突き当たりにある小さな店だが、「開店前に並ぶな」という看板が立っている。私有地だからという理由だが、この店に出入りするにはその路地を通るしかない。時間通りに行ってもまだ開店していなかったり、少し過ぎるともう満席だったりした。私の評価では「八楽」を除き、「鳳舞」系列のほうに軍配を上げたいので、本家は永遠にパスすることになりそうである。

「糸仙」と「鳳飛」の味わい深さ

本書はグルメ情報を目的にしているわけではないので、実際に訪れた二軒に関して、京都というキーワードを意識しながら、話を進めよう。

「糸仙」

　まず、一押しの「糸仙」。予約ができるのがありがたいが、かなり前から席が埋まるので注意が必要だ。場所は上七軒という京都五大花街のうち、一番北に位置する花街のなかにある。東京の下町言葉みたいに、地元民は「かみひちけん」と発音する。

　メインの通りはよく整備されていて、雰囲気濃厚。歩くだけで京都花街の匂いが鼻先に漂う。祇園よりも空いていて、京都情緒に浸れる穴場なので、北野天満宮にお詣《まい》りしたあとに、必ず寄ってほしい場所だ。

そのメインの通りから、一本入った路地奥に「糸仙」はある。まだ予約の五分前だったが、店前で孫娘と遊んでいた店主夫人が「どうぞ、どうぞ」と入れてくれた。こういう心遣いは嬉しいものである。どれほどの人気店であっても、お客さまあっての商売だという心遣いを感じる。

古い作りの店内は、決して居心地がいいとはいえない。雑然としているし、一人席のカウンターも、スペースの奥行が乏しい。それに反して、厨房は広く、店主親子以外にも、二人ほど料理補助の男性が入っているようだった。

上七軒は、西陣が近いので、織物業者の客で持っていたという。「糸仙」の主人も、元は「糸」関係の家業を継いでいたのだが、だんだんと織物が廃れてきたので、商売替えをしたのだという。もう糸とは縁を切るというので、「糸のことはせん」→「糸仙」になったと姜氏の本で知った。いかにも上七軒らしい店名が、ダジャレから生まれたとは。

姜氏の『京都の中華』の表紙になっているのは、この店の「酢豚」である。脂身がそぎ落とされた肉は、柔らかくジューシー。酢豚では定番のニンジンやピーマンなどは欠片《かけら》も乗っかっていないが、パイナップルの切れ端が三つほど加わっている。見かけは単純な料理なのに、どうしたらこの素晴らしい食感が得られるのだろうか。

春巻きは、いかにも京都の春巻き。京都以外の土地の人がイメージする春巻きとは、まったくの別物である。薄い玉子の皮で包んで、中身はタケノコがぎっしりと入っている。油で揚げているにもかかわらず、油っぽさが皆無に近い。食べやすいように長めの一本を切り分けてあり、太さもさほどではなく、むしろ細いか。

同じような春巻きであっても、「ハマムラ」などではもっと太い。どの店でも春巻きは決して安い品ではないが、手間を考えると当然の価格設定だろう。その他、メニューには、麻婆豆腐などという意外な料理も載っているが、横浜などで修業した息子さんの領分のようだ。

「糸仙」では、春巻き、シュウマイ、青菜炒め、チャーハンを食べた。酢豚同様、どうしてこれらの単純な料理が旨いのか。瓶ビールを含めて、しめて四〇〇〇円。安いとしか言いようがなかった。この日は一人で行ったのだが、後日、四人で出かけて、しめに焼きそばをいただいた。そばに手がかかっているとのこと、なんとも味わい深い一品だった。

もう一軒挙げたいのは「鳳飛」である。京都中心部からは、バスを使うと近くに停留所があるのだが、いつも利用するのは地下鉄だった。烏丸線の北大路駅から、早足で一五分

「鳳飛」

はかかる距離だ。しかも予約は不可なので、着いてから待たされることもざらである。妻と四五分間、店内で立って待ったことがあるが、それだけの価値がある中華屋なのだ。

タケノコが詰まった春巻きも絶品だし、大ぶりのシュウマイを噛《か》むとクワイのシャキシャキ感がなんとも言えない。絶対に食べたほうがいいのは、「からし鶏」。揚げた鶏のもも肉の下に、辛子のたっぷり利いた餡《あん》が敷かれているのだが、同じ料理をメニューに載せている他店と違うのは、鶏肉の芳醇《ほうじゅん》さである。肉がふっくらと厚い。

私のように最初に野菜を食べたい向きには、「かやく」と名づけられた野菜のうま煮を注文するといい。この店が嬉しいのは、どの料理も量が多いこと。しかも、餃子が八個で三五〇円、玉子スープ一〇〇円（！）という安さである。先ほどのからし鶏は一〇五〇円だ。

ただし、お酒を飲むのが目的の向きにはこの店は向かない。瓶ビールと月桂冠の一合瓶しか置いていないからである。純粋に食べる人を対象にしているのだと、無言で主張している。この店で注意すべきは、休みの多さである。四日間休みが月二回あり、通常は火曜日、水曜日の二日を休む。それだけ仕込みに時間をかけているということなのだろうか。東京には絶対にない店である。

ここで、ネットのグルメ情報について書きたい。たとえば、同じ「鳳舞」出身の二軒、「鳳飛」と「鳳泉」のどこが違うかという比較論は、ネット情報では得られない。アクセスのいい「鳳泉」は、休日行列ができているほどの人気店で、「京都の中華」の代表店だと観光客は思い込んでいる。

だが、行列に並ぶほどの店ではないことは、実際にその二軒を経験してわかることだ。「食べログ」で「鳳泉」を「京都の中華」の神髄のような褒め方をしている人は、一度「鳳飛」を味わってみるといい。違いに愕然《がくぜん》とするはずだ。ちなみに姜尚美の『京都の中華』でも、「鳳泉」を取り上げていない。比較によって得られる相対評価が大事なのに、所詮《しょせん》宣伝媒体であるネット情報だけを頼りにするのは危険である。

かつて時代小説作家・池波正太郎《いけなみしょうたろう》の贔屓《ひいき》にした飲食店を巡る流行があった。「なんだ、たいして旨くないじゃないか」という感想をあちこちで聞いたが、それでいいのである。池波と自分の趣味、大げさに言えば食歴の違いが、味覚の奥行きとして見えてくる。池波と趣味が一致すれば、すなわち池波の本はその人にとってバイブルとなるのである。

さて、私が愛好していた「京都の中華」ではない、他の中華店についても話しておこう。日常的に一番愛好していたのは、三条大橋西際の「珉珉」であった。「珉珉」は大阪発祥で、神戸、東京にも系列店があるが、純チェーン店ではない。それぞれの店舗によって料理が多少違っている。四条新館店とはほとんど内容は同じだが、三条店のほどほどの混み具合がありがたい。一人外で夕食というときに、気楽に入りやすく、炭水化物を摂取しない料理の選択ができるのも、糖尿男には嬉しいのだ。

気骨ある独自の料理を食べさせるのは、二条通堺町西入ル「菜格《さいかく》」。まだ若い料理人が作る四川料理は、唐辛子をふんだんに使う。ランチの麻婆豆腐は値打ちモノ。

学生街を中心に勢力を拡大している中国人経営の中華店にも、言及しておく必要があるだろう。京大のある百万遍から元田中にかけての中華店ラッシュは凄い。京都らしからぬ光景も、また京都なのである。最も目につくのは、東大路通と御陰《みかげ》通の交差するあたり。「東北料理」「四川料理」など、風味の濃い料理店が増えている。

中国からの留学生がこの地域に多いということなのか、家賃が安いからなのか、店員だけではなく、客のほうにも中国人が多い。食材の出自には不安が付きまとうが、ちまちましたけち臭い料理屋にうんざりしている人にはお勧めだ。量の多さ、値段の安さが中国人経営店の魅力である。

補足説明をしておこう。糖尿持ちの人間が、なぜ中華料理なのか。好きなジャンルだということは言うまでもないが、あらゆる外食料理のなかで、野菜料理をごく普通に選択できるのが中華だからだ。何度も述べるが、野菜を摂取しようとすれば、ファミレス以外では十分な量の野菜は提供されない。また、米を食べる場合、白米の飯とチャーハンでは、糖分の吸収速度が違う。油でくるまれている分、チャーハンのほうが吸収速度は遅いというう。遅いほうがもちろんいいわけである。

ただし、中華では必ずといっていいほど、片栗粉《かたくりこ》を使用する。野菜炒めにも使われる。片栗粉はジャガイモ由来のでんぷんなので、多量の摂取は糖尿には良くないが、炒め野菜に使うくらいの量では、さほどの影響はないはずだ。

知る人ぞ知る店でも、商売が成り立つ

住宅街の自宅を改造して食べ物屋を始めるケースというのは、京都だけではなく東京でもないわけではない。

私の自宅は一応東京都ではあるが、埼玉や千葉の「首都圏」よりも都心から遠い地域にある。関東の天気予報で、「東京」の次に「八王子」と表示されるが、八王子も東京都であるのに別枠になっているのは、都心からの距離の遠さを表わしている。私の住む日野市は、立川と八王子の中間に位置している、そういう立地である。

その日野市の物寂しい住宅街の一軒家で、手打ち蕎麦の店を開いた趣味人がいた。店の構えもあったものではなく、従前の玄関そのままに、看板を大きく表に掲げただけだった。自動ドアか引き戸でもあれば入りやすいが、ベルも押さずにいきなり他人の家に入って行く感じであった。一目見て、すぐに潰れる商売だなと確信したものだ。

ところがどっこい、この商売が続いていることを数年後に確認した。定年後の趣味で始めたのだろうか。この店で利益を上げる必要がなかったのかもしれない。それとも、蕎麦の出来が素晴らしくて、ネットで評判にでもなったか。

この例は特殊なケースである。たとえ駅前であっても、民家の構えのままで商売しよう

として、うまくいくことはなかなかない。だが、京都では事情が少し違う。

京都ではこうした出店《しゅってん》は当たり前とまではいかないが、住宅街で一軒の飲み屋やレストランを探すのは、さほど困難なことではない。こんな場所にという場所にも、料理屋があるのだ。東京だと最低でも二、三軒は固まって飲食街を形成する必要があるだろうが、京都ではばらけてぽつんと一軒だけという商売が可能なのである。

かつてアナログ時代には口コミで評判が伝わったものだが、現代ではネットで情報が拡散していく。京都で、いわゆる京町家を改造して飲食店に変えるのは理解できるだろうが、風情なしの普通の住宅での開店も結構多い。人通りも少なく、常連客を得やすいとは思えない場所で成功している店が多いのも、また京都なのである。

東山の白川のほとりで店を開いている「ぎをん森幸」は、三条通の古川商店街を抜けて、川筋を左に折れた場所にある。「ぎをん」を名乗ってはいるが、祇園の外れの外れであるし、とてもではないが、本来店を開くような場所ではないだろう。それでも途切れずに客が来るし、宴会の会場も埋まっているようだ。それは、料理の水準が高いのと、やはり京都だからかもしれない。

あるスイーツ店の話をしよう。血糖値を下げようと、昼食の直後に勤め先の大学の周辺をよく散歩した。宮本武蔵の決闘の故地として有名な一乗寺という方向に歩く。東側の傾斜地のほとんどは、ごく普通の住宅で占められていて、山の上のほうまで一戸建ての家並みが続いている。

その住宅街の一角に、普段は扉を閉じている店があって、なんとそこがスイーツ求道者の聖地であることを学生が教えてくれた。何度も言うが、小ぶりな家が軒を接して立つ、中産階級の住宅街である。ケーキ店の斜交《はすか》いに、この店を訪れる客用に数台分の駐車場が確保されているのだが、それ以外にこの場所で商売をしているという雰囲気はない。ただし、店の構えがお菓子のお家《うち》のような甘い匂いを漂わせていることは確かだ。

この店は「パティスリー・タンドレス」という名前で、なんと一週間のうち土、日、月の三日間しかオープンしない。開店時間の前には常に行列ができているという。私に教えてくれた学生のように、地元民よりもネットで知った遠来の客、スイーツ食べ歩きを趣味にしている女性や若者が集まってくるのに違いあるまい。

さらにもう一軒、最近初めて訪れて、繁盛ぶりにびっくりしたフランス料理の店がある。店名は「リョウリヤ　ステファン　パンテル」。京都地裁の西側を南に走る柳馬場通にあり、地裁の横顔を見る位置という立地。京町家を利用した店舗であるが、派手な看板類は一切なく、雨で文字が消えかけた「RYORIYA」という表札が、門前で佇んで眺めるとなんとか見つかるという程度であった。

その店で会食するチャンスが訪れたので、自転車で下見に行ったのだが、場所はわかっているはずなのに、なかなか辿り着けなかったほどである。勤め先から帰るとき、ときどき乗る二〇四番のバスがある。丸太町通の裁判所前という停留所で降りて、柳馬場通を少し南下すれば、自宅マンションに到着する。四年間何度も通った道筋だが、途中にこれほど賑やかな宴《うたげ》が展開されているフレンチレストランが存在することなど、想像もしなかった。

京都は入り口が狭くても、なかは奥が深く、内庭を備えている民家が多く残っている。先斗町や木屋町の路地奥の店に入ったことがある人には、すぐにその感じがわかってもらえるだろうが、日本食ではなく、フレンチやイタリアンを展開している店がたくさんあるのも、やはり京都ならではであろう。

ミシュランで星を獲得しているというフレンチ「MOTOI」は、京町家を利用していることは同じだが、門前にメニューを置いてあることから、レストランであることはすぐにわかる。しかし、「ステファン・パンテル」は店前を通りかかっても気がつかないのだから、知る人ぞ知る店だ。それで十分どころか十二分に商売が成り立つのは、やはり京都だからである。

京都といえども、活力がない店は潰れる

ただ、こうしたレストランが生き延びていけるかといえば、簡単ではなさそうだ。こと食べ物屋に限らず、店や事業を一〇年続けていくことはとても難しい。店が衰退し滅びていくことに、もちろん客のほうに責任はない。知らぬ間に店を経営している本人たちが、力を失っているのである。そういう例をたびたび京都で見ることがあった。

二軒を例に出そう。偶然だが、ともにイタリアンである。一軒目はOという店。小さな間口だが、内部はなかなかの広さの京都らしい店内だったが、いつも客の姿を見ることが少なかった。夷川通という立地も決していい場所ではないが、開店した一〇年前には人気店だったようだ。その人気を今は失っていて、客の姿が一人もないことがあった。この店は二〇一八年に消滅し、トリュフ・チョコの店に変わった。

もう一軒は、高倉通蛸薬師《たこやくし》上ルにあるそれなりに有名なDであった。私が友人と訪れた夜には、我々以外の客はとうとう一人も来なかった。店内には芸能人など著名人の色紙を

掲げているコーナーも目についた。食事が終わって六〇代かと思われるシェフが挨拶にやって来たが、自慢げな話しぶりと店内の空虚感がマッチしていない。

盛りの店の料理人は、身体からエネルギーが発散して一種のオーラに包まれているものだ。Oのシェフはまだ若いが萎《しお》れた印象で、この店のシェフもエネルギーの枯渇を印象づけられた。そして、両店に共通しているのは、料理に力が感じられないことだ。二人とも疲れてしまっている。料理人にはオーラが必要なのだ。

一〇年どころか、もっと古い店が力を失うとどうなるかという見本が、河原町通夷川に位置するとんかつの店だ。店の前に豚を象《かたど》った置物があるので、「ああ、あの店」とわかる人はわかるだろう。ものは試しと入ってみたことがあった。とんかつ屋では山盛りのキャベツが付きものである。私に言わせれば、とんかつはキャベツを食べる料理だ。しかし、この店のキャベツは、キャンプ場で子供が初めて包丁を使ったのかと思うほどのお粗末さだった。

また別のケースを述べる。今度は、まだ新しい店がたちまち衰退するケースである。開店当時は客を呼べていた店が、半年後には店内にいるのがシェフとアルバイトだけという惨状を呈することが間々《まま》起こる。

寺町通の進々堂にほぼ向き合った場所に、一軒の無国籍料理店ができた。開店当時は女性のシェフが頑張っていて、しばらくは若い客たちで賑わっていた。それが、あっという間に客の姿が見えなくなった。以降は、どういう方策を講じても客足は戻らないようだった。女性シェフも消えて、この種の店にありがちなことだが、普段の営業日にも店を閉じていることがときどきあった。なんとか生命をつないでいるようなアップアップの営業だったが、とうとう開業二年くらいで閉店した。

開店当座は、知り合いとかまたその知り合いとかの義理の客が集まる。彼らをいかにして次回も呼び寄せるかが、店を続けられるかどうかの勝負なのだ。それができなかった理由は、一つは立地、次に料理とサービス、そして金額である。

立地は寺町通でも御所に近いあたりで、夜になると寂しい地域である。寺町通は京都の繁華街のうちでは道幅が広いほうだ。先斗町ほどでなくても、木屋町くらいの狭さであったほうが、飲食業にはいい。

「ステファン・パンテル」のある柳馬場通は、寺町通の半分くらいの道幅である。また御池通から北側の寺町通は、アーケードの屋根が掛けられていないので、アーケード街の温かさが失《う》せてしまう。立地に問題があったのだ。

次に料理と価格を一緒に考えると、イタリアンでもフレンチでもない無国籍な料理は、無難だが個性に乏しい。あの店ではこの料理といった代表的な一品が作りにくいのである。しかも、肉料理が多くなれば価格も高くなる。コスパがいいとは言えないわけだ。

二度ほど入店した私には、便利な店だとは思ったが、次も来たいと感じさせる強い理由がなかった。サービス面でも、練達のサービスマンの存在が欠けていたのだろう。シェフがサービスマンを兼務してもいいので、またこの店に来たいと思わせる「おもてなし」が必要だったのだ。

そうそう、人間のことだけではなく、店のつくりの居心地がいいことも大事だ。いい店というものには、椅子に座ったときにこの店は落ち着くとか、なんとなく気持ちがいいとか、そういう要素が必要なのである。それも足りなかった。

オーナーは二階の建築事務所だと想像するが、建築の専門家よりもレストランの専門家が、店の調度、内装などを決めたほうが、ベターなのではなかろうか。

寺町通をその店から少し南下すると、二条通との角にフレンチのビストロ「LE BOUCHON（ブション）」があるが、昼も夜もいつも客がいっぱいである。昼など、店の表に並べられたチェアで空き待ちをしている光景は当たり前。目立つ立地であるし、料理の質と量とサービスの良さ、リーズナブルな値段に加えて、パリのビストロ風の外観と部屋の快さが客を引きつけるのである。

少し寂しい「居酒屋」事情

東大で学び、京大事情にも詳しいK先生から、日本を代表するこの二つの国立大教員の性質の違いを教えてもらった。それによると、東大はグルメであることを嫌い、京大はグルメでないとバカにされるということである。グルメは当然、酒もよく飲む。京都の町のバーは教員でもっていると言っても過言ではないほど、大学の先生たちはよく酒を飲む。

大学で私の属していた学科も、当然酒の席が多かった。毎年一年生が入学してくると、新入生歓迎コンパというものが用意される。別段、大学の行事ではなく、あくまでも学科独自の習慣なのだから、やらなくてもいいし、また成年前の学生たちなのだから、酒の席よりもお茶とお菓子というほうがいいと私は考えた。学科長として着任したので、初年度そのように主張して、学食で酒抜きの歓迎会を催したことがあった。

だが、そのやり方は一年限りで止めてしまった。学食の空間が広すぎて、白々しい雰囲気を払拭《ふっしょく》できなかったためである。空間というものは、人間同士の親密感の醸成に多分に作用するものだ。

やはり、従来のコンパ会場のほうがいいと私も考えるようになった。新歓コンパは酒OKの上級生も出席する。新入生たちに大人の酔態を見せるのも、社会へ開く窓の一つかなと気持ちを切り替えた。

叡山電車の元田中という駅からほど近い、「天寅《てんとら》」というコンパ専門の店をよく使った。京大に近い百万遍あたりには当然だが、そうした会場が多かった。オープンキャンパスのあとに、手伝ってくれた学生たちと行くのは、たいてい大学の近くの「王将北白川店」で、餃子に生ビール。ゼミの学生たちとはたびたび居酒屋に行ったが、やはり安さが優先である。

ここで、ちょっと言い訳を入れておく。私の住まいは、市役所に近い二条通であったためか、独立系の居酒屋がちらほらと周辺に散らばっていた。木屋町へもすぐに歩けるし、先斗町も徒歩圏内であったので、そこまで行けば選ぶのに迷うほど居酒屋は密集している。

私が本当の酒飲みであれば、行きつけの店が一つ、二つできても不思議ではないが、酒は好きでも量が飲めない私は、飲むと酷く疲労する体質だ。まして、糖尿の宣告を受けている身である。毎日の居酒屋通いなどとてもとても、ということで、はなはだ狭い見聞から述べていることを了解してほしい。

居酒屋といっても、京都では割烹に近い店もある。高級居酒屋としか言いようがないが、その代表格が二条通堺町下ルの「恒屋伝助《つねやでんすけ》」、二条通川端東入ル「よこちょう」、木屋町三条上ル「めなみ」だ。それぞれ予約なしでは席にありつけない人気店である。ただし、居酒屋に行くたびに七、八〇〇〇円も払いたくないだろうとも思う。今挙げた三軒は居酒屋というより、もう料理屋である。

それらに比べると、二条通川端下ル「赤垣屋」は、居酒屋研究家・太田和彦絶賛のお店。素材が精選され、料理も丁寧で、仕込みにも時間をかけていることが想像できる。昔の居酒屋の風情が店全体に漂っていて、料金もリーズナブル。

中原中也の項で語った柳小路の「静」は、外観から予想する以上に繁盛していて、私が訪れたときも、サラリーマンや学生のグループで満席だった。それだけ安い酒食が楽しめる店なのだろう。もちろん、料理も酒も「身の丈にあった」レベルである。

ビアガーデンよりもビアホール好きな私である。一度、祇園のウクライナ料理店「キエフ」で屋上予約をしたことがあったが、折からの豪雨で室内へと変更され、それ以来ビアガーデンとはご無沙汰《ぶさた》である。

河原町三条の「スーパードライ京都」については、第二章の「洛中案内」のなかで触れたが、美味いビールと料理を食べたいのなら、京都駅八条口と四条烏丸にある「銀座ライオン」もいい。ただ、京都まで来て「ライオン」じゃあな、という思いもあるだろうから、観光の皆さんにはやはり「スーパードライ京都」をお勧めする。夏のシーズン中は非常に混むので、困ったときには四条河原町近くの「ミュンヘン」へどうぞ。

立ち飲みの店は、河原町通四条上ル、雑居ビルOPAの西裏の狭い通りに面したところに、「たつみ」という昔から有名な店がある。多くの立ち飲み店のように、この店も早い時間から開くが、常に混んでいる。混んでいるが、すぐに諦めてしまってはいけないのも他店と同様で、空きはすぐにできる。だから待つのである。

第六章で詳しく書くが、神戸三宮《さんのみや》に「GONTA」という店がある。そこであれば、がんがん詰めさせて、客を押し込んでしまうが、さすが京都ではもう少しおっとりとしている。

ネットのレビューで評判の良い、「わたなべ横丁」という店にも入ったことがある。残念ながら、ここも「GONTA」の敵ではなかった。とうとう行きそびれたのは、四条大宮の駅前ロータリーに面した「庶民」。ネットでも絶賛の店で、何よりも店名が素晴らしい。

普通だと飲み代は、簡単に一人四〇〇〇円はかかってしまう。京都といえども、いや値段ばかり高い店が多い京都だからこそ、立ち飲みが流行ってくるだろう。先斗町の北の端に若い店主が一人で頑張っている店舗（有名な「百練」の出店らしい）ができていて、入れ替わり立ち替わり客が利用している様子も目撃している。

「京極スタンド」は新京極の四条寄りに位置する、一九二七年（昭和二年）に生まれた老舗で、店名のロゴや提灯のような電球の列、入り口左右の商品陳列棚など、いかにも骨董じみた色合いを醸《かも》し出していて、その前を通ると一目で興味を惹《ひ》かれる店である。「スタンド」という店名のロゴが大きく扉の上に広がっているのだが、開店当時は猛烈にモダンだっただろうその飾り文字が、現在ではかえって年代を感じさせるのは面白い。

前々から入ってみたかった店で、ある日曜日の昼に近い時刻にやって来た。この店は一二時からの開店である。五分前に着くと、一〇人ほどもう並んでいる。一二時ぴったりにわらわらと店のおばちゃんたちが出てきて、開店。そのおばちゃんたちがてきぱきと差配する。座る席も勝手に選べず、指示に従うことになる。

その席が問題なのだ。細長い店の奥まで非常に長い大理石のテーブルが伸びている。そのテーブルに、見知らぬほかの客と向き合って座るのだ。テーブルの幅はさほどないから、ほとんど正面にある他人の顔とくっつきあって飲む恰好《かっこう》になる。

知らない同士がお皿叩《たた》いて、というような交流を期待しているわけではなさそうだ。二人以上で来た客を除いて、知らぬ同士は正面の見知らぬ顔を意識しても、そこには何も存在しないと自分に言い聞かせながら飲むことになる。

料理の種類は多いので、どれを頼んでいいかわからず、生ビール（大）とおつまみのセット一三〇〇円を注文した。生大は普通に美味しいが、高野豆腐、揚げ餃子二個、薄いハム二枚、味がほとんどないマヨネーズ和《あ》えのスパゲティ。餃子は揚げすぎで、特に酷かったのは、皮が硬くて身がなかなか出てこない枝豆。前日の余り物かと思えるような貧しさ感が漂う代物だった。これで一三〇〇円は高い。

急いで飲み、さっさと出てきた。ネットのレビューでも意外と値段が高いと書いている人がいたが、確かにこうした立ち飲みに近い店としては高すぎる。ノスタルジー代が加味されて高額になっているとしたら、いささか足下《あしもと》を見た商売としか言えない。

ここで一つ断っておこう。こうして私は私なりのレビューを語っているわけだが、現代は食べ物屋の情報は、ほとんど皆さんネットで調べることだろう。私も同様で、まず「食ベログ」をはじめとするネットの評判を読む。口コミのほとんどが褒めてばかりいると、多少辛口のコメントを参考にもする。

それでも、今取り上げた「京極スタンド」のように、入ってみないことにはその実際の様子や内容がわからない店が多い。ネット情報には、それを己の基準に置き換えて深読みする「ネット・リテラシー」が必要なのだと思う。

「バー」で悪酔いした思い出

さて、東京の文芸編集者時代にはスナックに入り浸っていた私だが、今やまったくその類の店に入ることはない。では、オーセンティックなバーについてはどうかというと、やはり正統的な酒飲みではなく、若いころの失敗に懲《こ》りて、できるだけバーには近づかないことにしているので、京都のバーについては語る言葉は少ない。

それでも、経験がゼロというわけではない。文芸編集者のころは、山口瞳が贔屓にしていた祇園の「祇園サンボア」には何度か入ったことがある。三五年ほど前に訪れたのが最初で、そのころは女将さんが切り盛りしていた。京都で新入社員試験の面接を実施した際、二日にわたる面接業務を終え、数人でこのバーにいたときのことだ。

Yという先輩が、町の土産物店で買った匂い袋を披露して、女将さんに差し上げると言った途端、彼女が大きな声で「いらないわよ！」と言い放った。女将さんがなぜ怒声まで発したのかいまだにわからない。京都人に安物の匂い袋なんぞ渡そうとしたのが、逆鱗《げきりん》に触れたのだろうか。

京都に暮らし出してからも、二度ほど訪れた。ここのカクテルは、ピリリと締まっていて、確かに美味しいと感じる。バーテンさんも二人いて、接客も嫌みがない。ただし、値段が張る。私のように、カクテル一杯をほんの二、三口で飲み干してしまう人種には、金がかかりすぎるのだ。

「サンボア」というと、寺町通の「京都サンボア」のほうが有名かもしれない。寺町通の三条に近い東側に由緒を感じさせる古びた構えで控えているので、酒好きの人なら一度は入ってみたいと思うかもしれない。しかし、私の忠告は「おやめなさい」。

一度、ジントニックを作ってもらったことがあるが、味がぬるいのである。締まっていない。その目で店内を見回すと、店全体が緩んでいることがわかる。骨董も毎日磨き続けなければ、埃を被《かぶ》ったガラクタである。

バッキー井上という生粋の京都人で、またなかなかの呑み助として有名な方は、著作

『京都 店 特撰――たとえあなたが行かなくとも店の明かりは灯ってる。』（１４０Ｂ）のなかで〈このバーのホットウイスキーは世界一うまい〉と書いているが、ほんまかいな、と私は疑う。もっとも地元民には地元の歴史があり、感覚があることは否定できない。

京都で名の知れたバーテンが開いた、どこをとっても一流のバーが、四条新京極から近い花遊小路《かゆうこうじ》にある「バー ザ ノーザンライツ」である。一階は立ち飲みになっていて、ビールだけ、あるいはハイボールだけ飲んで帰りたいというときなどに便利である。

手間をかけて注いでくれるので、安い居酒屋のビールとは明らかに味が違う。値段はそれなりだが、立ち飲みのせいもあって決して高くはない。二階は居心地の良さそうなカウンターとソファ席がある余裕をもったスペース。値段は「祇園サンボア」よりも廉価でリーズナブル。

いつだったか親しい方と話が弾み、ジンリッキーを飲みすぎて、翌日、久しぶりに酷《ひど》い二日酔いになった。それからは怖くて二階には上がらなくなった。バーに罪はなく、私が悪いのである。

なんだ糖尿だと言いながら、ずいぶん飲んでいるじゃないかと呆《あき》れ声が聞こえてくる気がするが、自分でも結構呆れている。ただ、酒は血糖値を下げるので、飲みすぎなければ、決して悪いことではないのである。

意外ではない「パン消費量日本一」

こういう統計がある。総務省がパンの消費量を調べた「家計調査」の少し前の数字であるが、それによると京都人のパンの消費量は日本一だそうである。二位はお隣の兵庫、東京はなんと一七位と意外にも中位にとどまっている。ただ、この統計は単身者を含めていないとのことだから、単身者が多く、しかもコンビニのパンで食事を済ませるのは単身者であることを考えると、この統計も当てにはならないかもしれない。

しかし、京都の家庭でパン食率が高いことは疑いようがない。さらにパンを売っている店舗数（人口一〇万人あたり）でも、京都は上位に入るそうで、やはりパンへの依存度が高いことがわかる。和食文化の中心地である京都では、意外やパンの消費が図抜けて多いのだ。

京都には有名なパンのチェーン店が二つある。「進々堂」と「ＳＩＺＵＹＡ」である。さらに、中心部のみならず周辺の町のいたるところにパン店がある。伝統的な昔懐かしいパン屋もあるが、多くは個性を打ち出したアルファベット表記の現代風パン店だ。

町中の古い歴史を持つパン屋で有名なのは、「まるき製パン」である。コッペパンにハムとかカツとかを挟んだだけのパンが、バカウマなのだという。

しかし、「まるき製パン」のような昔風のパン屋はほとんど姿を消して、多く見かけるのは、パリのパン屋を思い起こさせるブーランジュリー・ナントカといった店名が、アルファベットで書いてあるパン店である。毎日のように利用する人はともかく、通りかかるだけの私のような者は、店名を覚えることがない。

この町で、天然酵母のパンを売っている店を見ることはまずない。もちろん、天然酵母であろうが、小麦を使っているのは同じなので、糖尿病にいいということはない。ただ、小麦をイーストで膨らませたパンよりも堅い分、多少消化吸収が遅くていいかなという程度である。

とにかく、京都市の中心部で「天然酵母」を謳った看板は目にしたことがない。東京では二〇年ほど前に天然酵母ブームがあり、店主が講習会をよく開いていた。京都では、全粒粉、雑穀入り、ライ麦のパンもほとんど見かけない。

京都人が健康よりも美味しさのほうに比重をかけていることが、パンの種類でもよくわかる。単純に美味しいほうがいいという判断なのだろう。「柔らかい」「甘い」という特徴のほうが京都のパンらしい。パンのみならず、京都人は東京人のように健康志向ではない。

健康ブームは、東京の文化である。それと、一過性の観光客にアピールするのは、手軽に加工できるイーストのパンのほうがいい。新作を次々に見せていかなければならない京都のパン店には、天然酵母のパンは手がかかりすぎるのである。

ワコールが二〇一九年度に発表した調査に、次のようなものがある。京都の二〇代から三〇代の女性は、東京の女性たちに比べてカロリー不足だとのこと。そして、東京の女性に比べると、脂肪が多く、筋肉が少なく、野菜、果物不足なのだという。さらに朝食を摂らない層が、二八%もいるらしい。間食は京都のほうが頻度が高く、ほぼ毎日で、栄養バランスよりも「美味しさ」を優先しているようだ。京都人のパン食の多さと、素直につながるデータのような気がする。

東京人の嗜好《しこう》とは違う傾向はまだある。スーパーで八枚切りの食パンを見ることが少ないことだ。薄切りでは、京都人はパンを食べた気がしないそうなのだ。一〇枚切りは八枚よりも多く見かけるが、それはサンドイッチに使用するためであるという。六枚切りが一般的なようだが、もっと厚さを求める層もいるらしいのは、このあと述べる喫茶店系のサンドイッチを注文するとわかる。

行きつけのカフェ「進々堂寺町店」

糖尿持ちの人間はパン食を避けるべきであるが、私の行きつけのパン店といえば、第二章で述べた寺町通竹屋町の「進々堂寺町店」と、地下街の「CASCADE」になる。

「進々堂寺町店」には「〝雑穀生活〟のせのせプレートセット」というメニューがあって、雑穀入りで種類が違う食パン半切れが三つと、マヨネーズ卵、アボカドのペースト、生ハムなどが盛られているプレートで、それとコーヒーのセットをいつも頼んだ。パンには雑穀が混じっているものの、主たる原料は小麦でマーガリンがたっぷりと塗られている。

進々堂チェーンでは、コーヒーのおかわりはタダ。特に、この寺町店は熱心にテーブルを回って、コーヒーをふるまってくれるのが嬉しい。私は、この店で最低三杯はもらうし、五杯飲んだことも稀ではない。断わらない限り、際限なくコーヒーが飲める。私が知る限り、私以上に回数を重ねている人は見たことはなかった。美味しいコーヒーかというと、うるさ型には不評かもしれないが、私には十分に美味しい。

この店で何よりもいいのは、建物に年季が入っていて、外観はレンガ造り、内装はレトロ感たっぷりの京都情緒が味わえることである。京都を去ることで残念なのは、この店に顔を出せなくなったことだ。従業員の女性たちとは四年越しのお付き合いなので、なかの一人は私が席に着くか着かないかのうちに、「雑穀プレートですか」と囁《ささや》いてくれるほどであった。

進々堂ついでで、このチェーンの他店舗についても述べると、百万遍京大向かいの進々堂は、寺町などの進々堂とは別の系列である。同様に祇園切通しの進々堂も別である。

百万遍の進々堂をありがたがる人は多いが、多少京都通になっている人であれば、この店を贔屓にすることはないはずだ。良いのは建物の外観と内部の雰囲気だけと決めつけると言いすぎだろうか。

コーヒーも冷めているとか、まずいとか、ネットにレビューが寄せられているが、何よりもサービスに心意気が感じられない。店内の撮影を禁じていることも度量の小ささを感じさせて、ちょっと気色悪い。この店が有名でもてはやされるのは、京都幻想の最たるもの。歴史有り

「進々堂」寺町店

気な装い、老舗らしいムード、そういうものに騙されているだけではなかろうか。

一方、祇園切通しの進々堂は場所柄、芸妓さんたち御用達の店で、お茶屋さんにも出前をする。ここのパンの分厚いサンドイッチ（きゅうりだけのサンドは芸術品）やコーヒー、それに色鮮やかなゼリー、木の実などが豊富に入ったロールケーキなど、すべて一流の味だが、夕方一六時には閉店と、まことに自由気ままな商売をされている。

店が狭い分、一人客でも孤独を感じさせないのもいい。ときに舞妓さん、芸妓さんと遭遇することもあるのも京都らしくて、風情たっぷりである。誰彼と見境なく話しかける常連のオバサンがいたりするのも、土地の雰囲気を感じてむしろ嬉しい。

分厚いのはパンだけではなく、玉子サンドの玉子の分厚さもなかなかのもの。玉子の厚さが通常の何倍もあるような作り方は、かつて木屋町に存在した「コロナ」という店が元祖だという。この味を受け継いだり、まねをしたりして、何軒かで同じようなサンドが食べられる。私が知っているのは、今述べた「切通し進々堂」のほかでは寺町商店会の「百《もも》春《はる》」である。次に述べる「SIZUYA」でも、「オムレツサンド」という名で売られている。

パン食大手の「SIZUYA」について語ろう。このチェーン店の売り物は、京都のソウルフードだと言われるほど有名な「カルネ」であろう。店内に足を踏み入れると、たいていとっつきのケースのなかに山積みというくらい並べられているので、誰でもそのパンが一番の売れ筋であることを知るだろう。

「SIZUYA」烏丸御池店

二〇センチほどのロールパン（丸い形のもあるようだ）にマーガリンを塗って、薄いハムとタマネギが挟んであるだけの素朴な品だが、かじりつくと見かけの材料以上の旨みが広がる。パンは少し堅いので、歯が丈夫な人向きである。

ＳＩＺＵＹＡの店舗は京都駅、地下鉄烏丸、烏丸御池、河原町三条、京阪三条駅など、私が知るだけでもこれだけの店舗がある。イートインが大きいのは、河原町三条店だ。

ＳＩＺＵＹＡでは、ご当地パン「ニューバード」についても語らねばなるまい。これは揚げパンである。コッペパンの生地にカレー粉を混ぜ、中心にウィンナソーセージが貫いている。

このパンの名は、京都に以前存在した「バード」というパン屋チェーンの売り物だったことからきているらしい。「バード」は市内に六六店舗あったが、倒産してなくなったという歴史も噛みしめて食べよう。「カルネ」も「ニューバード」も軽い味わいで、強烈な印象を残さないが、ソウルフードとはそういうものなのかもしれない。

京都のパン店は、喫茶店やカフェと切り離せないが、京都イコール「イノダ」というくらい「イノダコーヒ」は有名で、本店、三条店などのほか、京都駅の南北に二店舗設けて観光客を集めているが、近所に住む常連以外、地元民はほとんど行かなくなっているようだ。それでも京都通の本では、いわゆる「旦那衆」の行きつけだとか書かれている。

以前、文芸編集者だったころは、京都に来るとイノダは外せない項目だったが、京都生活四年間のうち、三条店に妻と一回行ったきりで、それもめったに京都に来ない妻の希望に従ったまでのことである。「にわか」でも、京都人はもう行かないのだ。

さて、京都人がパンをこれほどにも好むのは、どうしてだろうか。「京都人は新しいもの好きだから」という意見も確かにある。しかし、パンが新しい食材だったのは一〇〇年も前のことだろう。

一つには、コーヒー店や喫茶店の多さということがある。歴史的には最初のコーヒー店が生まれたのは、京都よりも東京のほうが古いようだし、現在のコーヒーの消費量も、京都は全国で一位、四位などと調査によって差があるが、いずれにせよ屈指の消費県であることは間違いがない。

コーヒーや紅茶のお供は、やはりご飯というよりパンになるだろう。先に書いた寺町通の人気店「スマート珈琲店」は、子供のころの美空《みそら》ひばりがここのホットケーキを愛好していたということからいまだに人気がある。いつ覗いても、順番待ちの観光客が店前で行列を作っている。二階はレストランになっていて、ご飯類のメニューもある。一度だけ入ってコーヒーとホットケーキを味わったが、まあ、こんなものだろうという程度の感想ではあった。

素朴、レトロ。しかし、こうした老舗が、パン食を定着させることに多大な貢献をしたことは間違いがない。京都のパン食は、喫茶店数の伸長とともに育ったのである。

どこも一流、京都の和菓子

京都の書店で買い求めた二冊の手帳がある。手帳と表記しているが、半分はガイドの役目を果たしている便利な代物だ。京都の書店では二社が競合している。宮帯《みやおび》出版社の『京ごよみ手帳』と、光村推古《みつむらすいこ》書院の『京都手帖』である。

この二冊で紹介されている和菓子の店を挙げてみよう。なお、和菓子店という呼び方は、京都では正確ではないという指摘がある。確かに我々が和菓子店と呼んでいる店の暖簾《のれん》には、たいてい「御菓子司」と書かれている。「司」は「つかさどる」だから、単なる販売者ではない。伝統ある技術を代々受け継いできた主人が、深く根を張っている店なのだ。東京ではこの看板を出している店は少ないだろう。

さて、京都の手帳二種に掲載されているお菓子屋だが、それぞれ方針が異なっていて、『京ごよみ手帳』のほうは「俵屋吉富」とか、「聖護院八ッ橋総本店」など、旅行ガイド本にも紹介されている有名店を選んでいるのに対して、『京都手帖』のほうは新興の洋菓子店の商品を多く載せているし、和菓子も現代感覚の新しい品々を載せている。七條甘春堂《しちじょうかんしゅんどう》「天の川」という美しい夏菓子などその一つだ。

ディープな京都人とおぼしき入江敦彦《いりえあつひこ》の『京都人だけが知っている』（洋泉社新書）では、さすがの辛口な語りで、観光客向けの「手帳」などでは紹介されていない店の存在や、京都土産の定番「八ッ橋」にまつわるエピソードなどが書かれていて面白いが、一般人がやはりそこまで知る必要はないとも思えてくる。

しかし、そのなかでも注目すべきは、出町柳・出町桝形《ますがた》商店街の入り口に店を構えている「ふたば」の豆餅について語っているくだりだ。行列の嫌いな京都人が並んでまで求める「心の京菓子」である、とのこと。

豆餅とは、東京では豆大福と呼んでいる餅菓子である。文京区音羽の「群林堂」が有名で、かの藤原正彦が「日本一美味しい」と絶賛した餅菓子だが、それよりも小ぶりで甘さもほどほどというのが「ふたば」の豆餅である。

両者の違いをニュアンス込めて表現できるほどの回数を私は食べていないので、ざっくりとしか評することができないが、群林堂の豆大福に慣れていると、「ふたば」のほうは物足りなく感じるかもしれない。群林堂の豆大福は、俺が、俺が、と濃厚な味を主張しているのに対して、「私なんか」と控えめに下がっているという感じだろうか。それを京都風と捉えてもいいかもしれない。

ついでに言うと、京都ではラーメンチェーン「天下一品」を生み出す強烈でえぐい方向と、淡泊で上品な方向と、両極端な風土があると前にも述べたが、政治の風土も同様で、京都では自民党が多数を占めるのは他県と変わりないが、一方で共産党が強いという伝統がある。

お菓子というと、どうしても甘いものに限られてくる。野菜も料理も甘いイコール美味しい、そして甘いことは良いとされる風潮に、糖尿持ちでなくても、うんざりされている方々は多いはずだ。甘いものが苦手という方も想像以上に多いのだ。そういう人のために、私が一押しの京都のお菓子を紹介する。京都人ならずとも知っている人は多いだろうが、柳馬場通四条上ル「ぎぼし」の「吹よせ」である。

これは数種類のおかきや昆布菓子を集めたパリパリのお菓子だが、湿気が大敵なので、缶に詰められて販売されている。使用後の缶の使い道がなくて困るが、缶の蓋《ふた》には安藤広重の絵が描かれていて美しく、捨てるのに忍びない。それで、いつしか広重が積み重なっていくのだ。一番小さい缶で一三〇〇円ほど、誰にも喜ばれる普段使いの一品である。

私はインスタント京都人であるから、とても入江氏ほどの知識は持ち合わせていないが、尋ねられればお教えできる御菓子司をいくつか挙げてみよう。

まず、寺町通御池下ルにある「亀屋良永」の「小倉山」という羊羹《ようかん》。値段も手頃で、小豆が目一杯使われている、本物という食感十分な一品。

次に、文芸編集者の昔、京都に来るたびに購入していた、地下鉄烏丸御池駅の裏にある

「亀末廣」の「京のよすが 四畳半」という半生のお茶菓子。我が家の子供たちが小さいころは、この高価で繊細なお菓子をむしゃ食いしていたが、本来お茶席で一粒二粒というように口にするのが作法だろう。値段はちょっと前まで四〇〇〇円ほどだった。その小さなヴァージョンを購《もと》める手もある。

商品のことばかりではなく、亀末廣の建物のことも述べておくべきだろう。まさに「京都」の歴史ある商家を絵に描いたような、これぞ老舗という構え。引き戸の重さたるや！

駄菓子的なムードを味わえるのは、木屋町通三条上ルの「月餅家」である。「げっぺいや」ではなく「つきもちや」と読む。この店はわらび餅で有名で、予約をしておかないと手に入らない。

ここでいつも買うのは、なんの主張もしない駄菓子のようなゼリーである。色は薄い紅色。日持ちがするので、旅の人にちょっと持たせるのに都合がいい。親父さんがときに接客してくれることがあり、その際に雑談ができる。お菓子屋の親父さんに、話し好きの人が多いのは嬉しい。

この店のお菓子の箱に投げ込まれている注意書きが面白い。「お菓子の事で御座居ますので、消費期限内にお召し上がりくださいい」という言い回し。「〇〇円からでよろしいでしょうか」とか、最近サービス業の言葉遣いが批判されるなかで、月餅家の言葉遣いも、ちょっとへんな感じがするが、歴史の古さを感じさせて、思わずほんわりと温かい気持ちにさせてくれる。

気をつけるべきは、「ぎぼし」「亀屋良永」「亀末廣」は、日曜日が休みなこと。まあ、日曜日が休みの店はそれだけ伝統店である証明のようなものだが。

さらに他県の人間にお勧めするような和菓子といえば、京都駅でも見つけられる「満月」の「阿闍梨餅《あじゃりもち》」だろうか。小さい箱でもずしりと重いのが、このお菓子の価値を物語っている。

それ以外だと、私がときどきお土産にしていたのは、「豆政《まめまさ》」の豆菓子である。本店が近くだったのでよく訪れたが、京都駅でも売っている。三条駿河屋の「松露《しょうろ》」についても述べたいが、もうしつこいか。今時のお菓子は洋、和を問わず、どれも美味しい。駅で求めても一向に構わないと思う。

第五章

観光ではわからない、必須「生活」情報

自転車もタクシーも爆走する

京都に観光に来ると不便に感じるのは、交通機関だろう。よく京都は狭い町だと言われる。同じ観光都市のパリやローマと比べると、確かに行動半径は短くて済む。パリやローマは鉄道網が発達していないために、京都よりさらに動きにくいので、京都の交通事情は問題にするほどのことではないのかもしれない。

京都はＪＲ、阪急、京阪、京福、叡山、近鉄など、利用できる鉄道は数多《あまた》存在するのだが、京都市中心部を多少カバーしているのは地下鉄だけで、ほかの鉄道は周辺地域に向かうための線路ばかりである。

市内の地下鉄は烏丸線と東西線の二本である。両線とも私鉄との相互乗り入れをしていて、地下鉄から奈良まで行けるのはありがたい。大津方面にも通じているので、琵琶湖など、ほんのすぐ隣りといった近さである。だが、たった二つのラインの地下鉄がカバーできる範囲は狭いのである。

やはり京都の主要な足はバスになる。市バスと京阪バスが運行していて、市内の隅々まで遅い時間でも走っている。地元民も観光客も皆、バスを利用する。乗り換えをしない場合、市内統一料金で二三〇円。日本一高いと言われている地下鉄に比べると、安くつくことが多い。

ただ現在、大問題が持ち上がっている。乗客の激増と運転手不足である。いわゆるインバウンドが集中する路線、たとえば清水寺のバス停では、観光客が道路にはみ出すほどの混雑ぶりで一回では乗れず、何台か見送ることを余儀《よぎ》なくされる。観光客どころか、地元民が乗り切れないという事態が続いている。

清水のマンションに住んでいる私の友人は、いざ出かけるとなると、バスに乗れたとしても当然座ることはできないし、押し合い圧《へ》し合いの窮屈《きゅうくつ》なスペースに十数分我慢しなければならなくなるという。勢い四条河原町あたりまでは歩くという選択になるが、京都駅に行く、あるいは勤務先に通うとなれば、やはりバスを使わざるをえない。

地元民はバスの混雑をよく知っているので、サラリーマン、主婦、学生は、向かう先がそれほど遠くない場合、ほとんどが自転車を使う。晴れた日ばかりではない。私は雨が降っているときには、自転車は諦めてバスに切り替えるが、本降りのときもカッパを着て、あるいは傘をさして、自転車を漕ぐ人を見る風景は当たり前であった。学生はもちろん、小さな子供たちを保育園に送るヤングママたちも、前後のシートに子供たちを乗せて、猛然と飛ばして過ぎる。

先輩の女性教授が、私の赴任時に忠告してくれたのは、「京都では女性たちが猛然と飛ばすので、気をつけたほうがいい」ということだった。その先生は一度、勇ましい女性の自転車にぶつけられて吹っ飛び、怪我《けが》を負ったことがあったのである。もちろん女性たちだけではなく、飛ばしの常連は学生と小学生などの児童が主だが、東京の常識では測れないほど、京都では中心部でも往来する自転車が多いのである。

私が使用していたのは電動自転車であるが、これも先輩教授の忠告に従ったまでのことで、この選択は正しかった。京都は平らな町だと思われているが、三方を山で囲まれているので、山のほうへ向かうと必然的に坂を上って行くことになる。

私の勤務地は「東山三十六峰」の一つ、瓜生山《うりゆうやま》の斜面を削って建てられた大学だったから、百万遍までは平坦《へいたん》だったとしても、その後は急坂ではないが、どんどん上る一方であった。自転車でかなりの運動量を得たいと考えるなら、若い人にはサイクリング車をお勧めするが、身体にガタがきている老人は電動に乗ったほうがいいと思う。

電動自転車のおかげで、少なくとも冬場以外では電池が続く限り、傾斜を気にせずにどこまでも走れるので、移動半径が格段に高まる。第三章でも書いたが、上り坂が延々と続く北区鷹峯の光悦寺までも、自転車で行っている。

自宅マンションから近いといっても、歩けば多少の距離がある岡崎あたり、二条城あたりには、血糖値を下げるためによく飛ばして行ったものだ。さすがに大原や高雄のほうまでは電動が続かないと思うが、不可能ではなかったかもしれない。寒い時期が長い京都では、自転車を乗り回す時期が限られてしまうのが惜しかった。

京都駅までも、自転車だと地下鉄を使わなくて済むので、何度も漕いで行ったものだ。京都駅中央口前のヨドバシには、二時間無料の駐輪場もあるのがありがたかった。

駐輪場について注意すべきことを述べておこう。住み始めたばかりの時期の体験である。御池通歩道の駐輪場がいっぱいだったので仕方なく、駐輪場のなかではあるが、本来の駐輪スペースではないところに停めて、食事をしに行ったことがあった。

二時間後に戻ってきたら、私の自転車が見当たらない。近くに立っていた係員らしき制服の男性に尋ねたところ、違法駐輪の自転車はたった今、トラックに積まれて保管所に運ばれたのだと言う。居酒屋で気持ちよくビールを飲んでいる間に、我が愛車は連れ去られていたのである。たった今だから、そこに行けば取り返せるとも言う。保管所の場所は二条駅の近くだと言うので、地下鉄で向かった。

保管所は暗かった。確かに私の自転車は到着したばかりで、ほやほやの犯罪者としてつながれていた。釈放《しゃくほう》してもらうには、二三〇〇円が必要だと言う。支払いを済ませ、私と相棒はすごすごと自宅に戻ったのであった。

京都の中心部にはかなりの数の駐輪場が設置されているが、常に目指す施設に空きがあるかどうかはわからない。特に市役所前の御池通に設置された駐輪場は、台数が少ないので、満車のときの次善の策を講じておかなくてはならない。基本、市の中心部で用事があるときには、自転車で行くのは避けるほうがいいということだ。

京都で最も飛ばすのはタクシーである。これはなかなかのものだ。この運転のプロフェッショナルたちは道を知り尽くしているので、狭い通りでも、空車のときでも、平気でスピードを上げて走ってくる。この道には車は来ないだろうと安心しているときに、後ろからエンジン音が聞こえたら、それはまずタクシーである。よく事故がないものだ、と感心していたら、事故のニュースを聞くことがときどきあった。ただ、それが、減ってきているらしい。市内のすべての通りに引かれた自転車通行ラインが、自動車のスピードを抑制する効果があったせいだという。

京都の市内での飲食範囲は、中京、下京《しもぎょう》、左京などの狭い地域であるから、左京区のどこぞでの宴会のあと、木屋町の酒場に移って二次会というのはよくあることで、そういうときはタクシーを使う。地元の人たちは、節約志向の強い観光客とは反対に、タクシーを頻繁に使う。東京と違い、夜の道路も走りやすいので、時間の節約にもなる。

タクシー利用で最近目につくのは、修学旅行生たちのグループでのタクシー利用である。運転手が案内役を務めるから、一石二鳥なのだろう。今は一年中修学旅行生たちを見るので、厳寒の一月、二月でも、こうしたタクシー利用がある。京都のタクシーは仕事にあぶれることがない。

人情味ある「町のお医者さん」

何度も書いているように、私は糖尿という持病を背負っている。糖尿病はヘモグロビンA1cという数値を、そのときその場の血糖値よりも重要に考える。私のその数値は、おおむね六・二から六・四であって、京都生活で一番良い数値は五・九だった。正常値は五・六未満なので、私の数値は糖尿病でも軽いクラスの数値ということになる。

しかし、一般人と同じような食事をしていると、この数値を維持するのは難しく、たちまち七・〇以上に跳ね上がってしまうだろう。

血糖値を上げるのは、炭水化物と糖類なので、米、パン、お菓子などを大幅に制限していて、食後の運動が予定されるときにはパンも米も食べるが、その他は基本NGである。

運動といっても、たいていは寺町通を御池通側から四条通まで北から南に向かい、また同じルートを急ぎ足で戻ってくる。単なる散歩では効果はなく、少し汗ばむくらいの早足にすることが肝である。自宅のある東京・日野市では、浅川の土手を歩いて血糖値を下げたものだが、ところ変われば品変わるではないが、京都では華やかな商店街が散歩コースなのであった。

東京では糖尿に関して、地元の専門医に定期的に通っていたので、こちらでも糖尿病認定医を探したところ、歩いて一〇分のところ、高倉通に見つかった。T内科クリニックだ。ここで四年間お世話になった。糖尿病のほかに、耳鼻咽喉《じびいんこう》科選びも私には重要な項目だ。鼻と喉が弱いので、風邪のときも耳鼻科に行く。耳鼻科は、左京区北白川別当のN耳鼻咽喉科がかかりつけの医院になった。

T先生もN先生もそうだが、患者の個人情報を簡単に入手する。要するに患者との会話から知識を得るのだが、東京の医院ではまずそういうことはない。T先生、N先生ともに、私が大学教員であると聞くと勤務先をすぐに知るし、T先生に至っては、私が漫画家滝田《たきた》ゆうの評伝を書いていることをパソコンでざっと調べて、自分も若いころは雑誌「ガロ」

で滝田作品を読んだことがあると、初対面でそこまで踏み込んできた。東京の医師に慣れている私にはそれが驚きだったが、患者の情報をできるだけ持っていたほうが、医師としての役割をさらに発揮できるのに違いない。

耳鼻科のN先生は、私がレッスンを受けていたサックス奏者・S先生のママ友であった。私もN先生も、Sさんとフェイスブック友達になっていたために、私の動向をフェイスブックで知るところとなったらしい。京都というのは狭い街だな、とつくづく思うのは、こういう瞬間である。

現在、個人情報に関する警戒の行きすぎは、医療の世界にも及んでいる。しかし、患者の個人情報をよく知ることによって、診療の質が増すこともあるし、また医師との人間的な交流が、患者側の精神を安定させる効果もあるはずだ。

京都で一人暮らしの私は、この二人の医師と会話する時間を待ち遠しく思うほど、患者に興味を持ってくれる医師の存在が嬉しかったのである。東京の医師はその反対に、相手がどのような人物かに興味を持たないように努めているように思える。医療の質の向上のためにも、もっと患者に興味を持つべきだろう。

この二人の医師だけではなく、一時頸椎《けいつい》のリハビリに通っていた近所のS整形外科では、女性の職員に「京都新聞にお写真、載っていたのを見ました」と声をかけられたことがある。私がかつて新書を刊行したときのインタビュー記事が、顔写真とともに掲載されたのを読んでいたのだ。知っていても黙っているのが東京流だが、京都では遠慮せずに話しかけてくるのである。

京都の医院で嬉しいのは、もう一点ある。混んでいないわけではないが、東京で体験してきた混みようとは別種のほどほどの混み方であったことだ。時間や曜日によっては、ガラガラに空いていることもあり、医者通いが避けられない者にとっては、この町ほど素晴らしい地域はないと思われた。

京都を離れるときに残念だったことの一つは、親しくなった医師との別れである。N先生は大きな声の元気な女医さんで、私がくたびれた顔をしていると常に励ましてくれた。喉の調子が絶不調で、「授業で声が出なくなると困る」と訴えたとき、「私が絶対に治してあげるから、心配せんでええよ」と、そんな励まし方をしてくれる医師には出会ったことがない。最後の診察では、握手をして別れたが、新幹線を使ってでも通いたいと思う先生だった。

そういうことを考えてしまうほど、東京の医療事情が悪いということでもある。東京の医者が病気を治せないとは言わないし、東京に戻っている現在、糖尿を診てもらっている医院など、専門クリニックのレベルは高いと思う。ただ、町医者に求められるのは、第一に人情であることを京都は教えてくれたのである。

東京の医者はたいてい駅の近くに開業したがるが、T医院もN医院もバス停は近くにあるものの、住宅街のなかのクリニックである。地域に密着していなければ、病人との人間的な交流は成り立たない。東京の駅の近くは家賃も高い。患者は一匹のサバやイワシに過ぎず、必然的に魚を捌《さば》く加工場のように、「はい、お次!」と流れ作業になるのだ。

トイレ探しに困ったら

私はトイレが近い。異常に近いのである。歳《とし》を取ったからでもあるが、若いころからそういう体質で、某国立大入試の一次試験のとき、途中でトイレを希望したのは私一人だった。ついでに言うと、その一次は合格だった。

今も一日一〇回はトイレを使うと思うし、夜間の睡眠時にも最低三回は起きる。簡単に言うと頻尿ということだが、チロチロとしか出ないのに尿意だけが強いというのではなく、結構尿量も多い。私の身体は大きな尿管だけでできているのか。

などと冗談を言っていられないのが、尿意というやつ。特に旅行者にとってトイレは、「どこに」という地理的な場所、「どういう施設」にという清潔度の両方を調べておかないと、非常な苦しみを味わうことになる。私のような年齢になると、もうズボンのなかに垂れ流しという事態だって、現実味を帯びる。

地元の町ならトイレの場所は熟知しているだろうが、旅行先ではそうはいかない。言葉が通じない外国であれば事前に調べておくだろうし、現地案内人でもついていれば情報は得やすい。

しかし、京都では東京のように地下鉄が縦横に走っているわけではないし、ショッピングセンターが随所に立っているわけではない。寺社にも必ず外トイレが設置されているわけでもない。町歩きでは、確かにコンビニの姿を目にすることが増えているので、普通はコンビニに飛び込めばいいのだが、私はコンビニのトイレが嫌いである。清潔感がないので、私のみならず避ける人は多い。

私の勤務先の大学は、左京区の瓜生山にあり、そこは東山三十六峰の一山であるから、中京区の自宅から電動自転車で出発すると、たかだか二五分くらいの距離であるが、出発前に紅茶を二杯飲んでいるので、走行中に水分が膀胱《ぼうこう》に下りてくる。途中から急激に尿意が襲ってくることもたびたびであった。

尿意は急である。ここで大学に着くまで我慢をしていると、トイレの手前でズボンを濡らしかねないほどに切迫してくる。精神的な焦りも関係しているのだろう。そこで私が使うのは、児童公園の公衆トイレである。

公園のトイレは決して綺麗ではないが、少なくとも男性の小用トイレはなんの問題もない。風通しが良くて、臭いも少ない。大学への道のりの半ばに、児童公園は二カ所あり、それぞれ公衆トイレが設置されている。

東京の児童公園ではまず公衆トイレを見ることが少ないが、京都では間違いなく児童公園にトイレが設置されている。そのため公園の周囲には、一休みしているタクシーを二、三台見かけることはしょっちゅうである。京都の町歩きで尿意を催したら、スマホで近くの公園を探すといい。必ずそこには、一応清潔なトイレがあなたを待っている。

京都はやはり一大観光地なので、たとえば、三十三間堂や京都国立博物館の近くには、大きな公衆トイレの建物が目立つように居座っている。また、観光名所ではなくても、道路の角々《かどかど》に適宜《てきぎ》公衆トイレが配置されている。たとえば、京都御苑の東南角とか、川端通と東一条通の東南角とかである。寺町通、新京極通にも何カ所か設置されている。

夜の飲み屋街では、入った店にたいていトイレが備わっているが、もしも木屋町で尿意を覚えたら、三条と四条の間に立派な公衆トイレが設置されているので行くといい。先斗町はちょっと困る。先斗町飲み屋街の中間あたりに先斗町公園があるが、期待して行ってもここには設置されていない。私はある晩、この公園を通りかかって、「ないわけがない」と狭い公園内を隅々まで調べたが、やはり置かれていなかった。

さて、祇園のなかでは、公衆トイレを見たことがない。祇園の入り口の川端通沿い、南座ならぬ北座の近くに小さな公衆トイレが設置されているが、入れ替わり立ち替わり大混みである。みんな祇園にトイレが少ないことを知っているのだ。

どうしても困ったら、花見小路通の「タリーズ」とかでコーヒー一杯を頼んでから、トイレの扉を叩こう。あるいは京都の中心部には、祇園といえどもコンビニがないわけではない。非常事態はどうぞ、コンビニへ。

銭湯には「電気風呂」がある

烏丸御池近くの押小路通の銭湯は、「初音湯《はつねゆ》」という名前である。道路上に掲げられた看板に、「ＳＡＵＮＡ ＢＡＴＨ ＨＯＵＳＥ」と英語表記もされているのは、外国人観光客も視野に入れているからだろう。
営業時間は、午後三時から夜の一二時まで。脱衣所兼休憩所に張り紙があって、（手書きの、控えめな文字で）「一二時閉店にご協力ください」とある。どうやら時間ギリギリにやって来て、長居する客がいるようだ。午前〇時まで営業するというのもなかなかの労力だが、さらにそれ以上、湯舟を占領されてはかなわないだろう。

「初音湯」

他の風呂屋でもほぼ同じだが、入り口の暖簾《のれん》を分けて入ると、左が男湯になっている。靴を脱いで一段上がると靴箱が並んでいて、その蓋は木札を抜くと閉まるようになっている。靴箱の木札は東京の銭湯でも同じように設置していることが多いが、京都の銭湯は年代物の靴箱で、東京のように貸金庫のごとく新しく綺麗なものではない。ここ初音湯は多少ましだが、あとで登場する「桜湯」のガタピシ度は年代物だ。

なかに入ると、もちろん番台があって、そこで四五〇円を払う。銭湯代は京都ではどこも四五〇円であるが、全国的には若干の上下があるようだ。たとえば、銭湯が少ない東京では、四七〇円である。京都よりも二〇円高い（すべて二〇一九年の消費税増税後の料金）。

初音湯は私が入った三軒のうち、リフォームされているせいか一番綺麗で設備も新しい。風呂は四つあって、手前が水風呂、次に一番大きな普通の熱いお湯の風呂（熱いのが好きな私にも少し熱すぎるようだった）、次にジェット水流の吹き出している風呂、最後に小さな桝形《ますがた》の風呂があって、なんと電気風呂であった。

電気風呂は初めてだったので、最初手足を入れたとき、強烈なしびれ感の正体はなんだろうと首をひねった。案内札もなく、近くに訊く人もいなかった。おそらく電磁波というような生易しい仕掛けではないだろうとは想像した。電流が流れている？　まさか、そんな危険な装置が、なんの注意書きも貼られていない場所にあるわけがない。

甘かった。関西人の常識破りの風習は、今や表面には隠れて浮かんできていないが、こういう庶民の場所に住みついているのであった。あとで知ったが、東京でも昔ながらの風呂屋には設置されているところがあるそうだ。

電気クラゲに感電したように、私はお湯のなかで半身を浸して、びりびりと震えていた。

そして、その刺激がだんだんと気持ち良くなってきたのだ。長い正座のあとに立ち上がろうとすると足を襲う、あのしびれを思い浮かべてほしい。あのしびれ感が嫌いだという人には、電気風呂は向かない。辛さ半分、快感半分というあの感じが、この電気風呂にはあった。

電気風呂は、関西を象徴するものの一つだろう。「これが関西だ」というものは、実は小さなことに多い。たとえば、地蔵盆の風習やこの電気風呂だ。

私のマンションの近くにはもう一つ、同じ押小路通の御幸町の角に、「玉の湯」という湯布院の名旅館と同じ名前の銭湯がある。ここは、初音湯よりもこぢんまりしているが、浴槽は非常に綺麗だ。表の看板に「ネオン」とあるのが不思議だったが、ジェット気泡の浴槽内の底が何色かに光るらしい。

私が入った風呂屋さんにはもう一軒、河原

「桜湯」

町丸太町交差点に近い「桜湯」がある。このお風呂屋さんが、三軒のうちでは一番歴史が古い。脱衣所もまた、古式ゆかしい雰囲気をたたえて、衣類籠《かご》も年代物だ。

古さがそのまま残っているので、綺麗さでは他の二軒にひけを取るが、綺麗なだけのお風呂に入りたければ、東京の銭湯に行ったほうがいいだろう。ここの男女風呂の境は、コイの水槽でできている。もちろん、水を透かして女風呂は覗けない。

この三軒以外に、京都市内には一〇〇軒ほどの銭湯があるそうだ。最も古いのは、かの有名な船岡温泉で、ここには入り損ねた。風呂屋を続けるのはなかなか大変なのだそうで、ずいぶん廃業したとのことだが、やはり地下水を利用できることが、営業を続けられ、市内に一〇〇軒も残っている理由だろう。京都の地下水は軟水だから、肌に柔らかいという。

この三つのお風呂屋さんの休みの曜日が違っているのは、やはり観光京都の面目だろう。日曜日休みは「玉の湯」だけで、「初音湯」は火曜日、「桜湯」は月曜日が休みなため、どの曜日でもどこかは開いている。

京都のお風呂屋さんの共通項は、入り口の暖簾に「牛乳石鹸《せっけん》」の文字があること。念のため東京の銭湯を二、三軒調べてみたが、その文字の暖簾がないどころか、暖簾すら垂らしていない銭湯も多いことを知った。

ちなみに銭湯には、スポーツクラブと違って石鹸もシャンプーも洗い場に置かれていないから、自分で持参するか、銭湯で買わなくてはならない。私は石鹸を使わず、お湯で洗うだけで済ませた。そうそう初音湯には、洗い場に普通は置かれている腰掛けすらなかったが、どういう理由からだろうか。

もう一つ、関東の銭湯では定番の富士山のペンキ絵も、京都では見かけないようだ。そこで私は考えた。富士の山というと日本の象徴のように思われているが、西の人にとって明治維新以前にはそれほどのことではなかったのではあるまいか。

もちろん、徳川家康が江戸に幕府を開いてから、つまり江戸時代になって国の政治の中心が江戸に移ってからは、すでに富士山は日本人の仰ぎ見る存在となり、日本国の象徴と化していたことだろう。何しろ、当時の江戸では日本橋から富士山が見えたのである。

武州多摩の地は徳川家の天領であり、特に幕府に対して篤《あつ》い気持ちを持つ人たちが多く存在した。そのうちの代表者が、幕末の混乱期に農民（といっても富農）から武士になるチャンスを得て、新選組に入った土方歳三だ。今でも、土方が生まれ育った日野市を流れる浅川の土手からは、霊峰がくっきりと見える。

私はこの浅川の土手から雪を被った富士山を遠望したときに、まさに霊感に打たれたように確信した。土方が、なぜあのように徳川家《とくせんけ》に対し、無条件に忠誠を誓ったのかを。このことは、この地を取材したこともある司馬遼太郎も気がつかなかったことだ。冬場に浅川の土手から富士を眺めて、初めて理解できることだからだ。土方にとって、幕府イコール富士山だったのだ。

江戸時代にお伊勢詣りで東海道を歩く、弥次さん喜多さんのような人たちは、東海道から富士の山を「ありがたや、ありがたや」と仰ぎつつ、駿河国を過ぎて行ったことだろう。しかし、上方《かみかた》からお伊勢詣りをしようが、もちろん金比羅《こんぴら》詣りをしようが、富士の山が視界に入ることはまったくない。必然、富士の山と日本国とは結びつかない。まして、京都には天皇様がおられたわけで、富士の山は当然、銭湯の壁には登場しなかったというわけである。まあ、推測に過ぎないが。

京都で、書店について考えた

京都に住んで初めて知った書店が、「大垣書店」だ。岐阜県大垣市の出なのかというとそうではなく、オーナーが大垣さんなのだった。東京の人たちには馴染みのない書店である。

東京でも地区によっては、そこだけで大規模な店舗展開をしている書店もある。立川市を中心にしているオリオン書房などは、その一例だ。大垣書店高野店のW店長とはことに親しかったので、書籍をリアル書店で購入するときには、その高野店か自宅に近い地下街ZESTにある「ふたば書房」で求めることが多かった。

私の住まいは寺町通に近いと何度も書いているが、寺町通に出て左に曲がるとすぐの場所に、「三月書房」という有名なセレクト書店がある（二〇二〇年五月閉店予定）。京都には古書店も多いが、こうした個性ある店主が選び抜いた新刊書籍を並べる書店もいくつかある。この三月書房は、こうした書店の嚆矢《こうし》というべき存在で、数多の知識人が「ここに来ると気持ちが安らぐ」などと褒めちぎっている。

私の場合はまったくそれがない。特別セレクトしてほしくないからである。私は私の趣味が厳然とあるので、書籍の数が豊富で、ジャンルも多岐にわたって揃えている書店が好きなのだ。ただ、電鉄会社が経営している私鉄駅の書店のように、どの店も同じような品揃えで、店員の顔が見えない店は楽しくない。一般書店で、しかも店員の顔が見える並べ方を工夫している書店がいい。

ついでにいえば、午前早くから夜の二四時まで営業している、大垣書店高野店のような存在がありがたいと思う。河原町丸太町の「誠光社」や一乗寺の「恵文社」など、セレクト書店として名を馳せている書店には知り合いもいたりするが、足が向くことがほとんどなかったのは、以上のような理由による。

書店の危機が、出版界の市場の縮小とともに語られて久しい。二〇二〇年初頭、京都の書店関係者に衝撃が走ったのは、四条通のビルの全五階を占めて店舗を構えていたジュンク堂の閉店である。

しかし、ここ京都を地盤とし、多店舗展開している大垣書店は、二〇一九年八月の決算報告で創業以来最大の売り上げがあったと発表している。京都の大型店舗といえば、河原町通の「丸善」だが、この全国区の大手書店を尻目に、大垣書店は業績を伸ばしている。京都の奇跡の一つかもしれない。

大垣書店高野店では、かなり広いスペースをカフェに割いている。近辺に「スターバックス」など、チェーン店が出店していない現在、この存在は貴重である。書籍を求めなくてもカフェだけを利用する客も多いとのこと。元日に開いたところ、ご近所の老齢者などで結構賑わったという。

では、カフェのスペースをもっと広くすればいいかというと、それは無謀だとW店長はきっぱりと言う。「ドトール」や「スタバ」は駅近ではない、住宅街の高野では出店しないが、「コメダ」ならやるかもしれない。そのときには、自分のカフェは闘えない、と。カフェの集客には、条件が整っている立地が大事であり、条件に変化が生じると、それに応じた対応が必要になるということだ。

カフェを付随させて、サイン会や読書会を催すイベントは今や普通だが、まだまだ出版界、書き手、書店は危機認識が甘いと思う。かといって、私に名案があるわけではないが、やはり「変革を忘れない」ことではないかと思うのだ。

つい最近、東京の地元、高幡不動駅のショッピングビルに入居している京王電鉄系の啓文堂書店が、隣りに並んでいたタリーズコーヒー店との仕切り壁を取り壊して、書店とカフェの一体化を図った。

それを知らずに、初めて店内に足を踏み入れたときには、「あっ」と叫んだものだ。資本関係がない二者がこうした共同事業を企《たくら》むのは素晴らしいことだ。本の売れ行きにも好影響があるに違いない。まさに「やってみなはれ」である。

さらに、専門家書店員の養成も必要だ。私の知り合いで、岡崎の蔦屋書店で「本のコンシェルジュ」を名乗って、カウンターに詰めている男性がいる。コンシェルジュというのは、要するに案内人である。

残念なのは、ほとんどの一般書店の店員が、アルバイトであるということだ。学生アルバイトでは、読書家の客に対応することができない。缶詰を売るように本を売るだけでは、今後の書店はアマゾンや楽天などの通販に潰されてしまうだろう。流通の人手不足が通販にブレーキをかける可能性にしか、リアル書店の希望が残っていないのではあまりにも寂しい。

店頭に立っている書店員に、コンシェルジュとか学芸員並みの力量を持たせ、会話術も学ばせて、書店を特別の空間に高めていくことが急務ではないだろうか。そのためには、書店員の給料がもっとよくならなくてはならないだろう。定価からの書店の取り分は、現在二二%くらいだが、三〇%になることが第一目標となるだろう。

京都の古書店に関しては、語る資格はまったくない。古書を求める場合、私が利用するのはアマゾン、「日本の古本屋」といったネット通販が主であった。たまに、京阪三条の「ブックオフ」を覗くこともあったというくらいだ。私が求めるのは単なる古本であって、資料的な古書ではない。京都中心部の老舗に置いてあるような稀覯本《きこうぼん》や珍しい京都本、歴史的な価値の高い書籍を集める理由がなく、そういう古書店には足を踏み入れる必要がなかったのである。

だから、勤務する大学の近くの古書店にたまに立ち寄って買うのは、世界文学全集のうちのエミール・ゾラの『ナナ』（河出書房）とか、ほとんどただ同然の値段が付いている古本だ。それから、すっかり赤茶けた古い文庫にも拾いものがある。桑原武夫《くわばらたけお》の『第二藝術論』（河出文庫）がその一冊だった。たまたま通りかかった叡山電車・茶山駅近くの古書店で見つけた。

ただ、古書店のうち一軒くらいは、親しくなっておくと便利である。私の場合、銀閣寺近くの今出川通沿いにある「善行堂《ぜんこうどう》」がそれだった。店主は山本善行《やまもとよしゆき》、新潮新書から出ている『関西赤貧古本道』の著者である。この本を刊行した一五年ほど前には、まだ古本業者にはなっていなかったが、古本好きが高じて古本屋になってしまった人だ。

ときどき本の処理に困ると、ここに持ち込んだ。どんな流行本でも資源ごみという名の屑《くず》にしたくなかったので、京都から去るときに売り物にならないような書籍を引き受けてもらったのもこの店である。

まるで地元民！ よそさんの堂々「京都化け」現象

高級羊羹《ようかん》の「とらや」は、京都が発祥の地である。高価な贈答品に使われることが多い「とらや」は、すっかり東京の顔をしていて、この羊羹が京都の出だと聞いて驚く人は多い。先日も東京から訪ねてきた女性たちが、御所の脇の烏丸通を歩いていたところ、「とらや」の店舗を発見して「京都にもあるのね」と感心していた。

今は東京が本拠だが、本来は烏丸通のその店舗「とらや京都一条店」が、全国「とらや」の中心地なのである。「とらや」はそもそも皇室御用達の店だったが、遷都にともない東京に進出したとのこと。本社も今は東京にある。「とらや」は言うならば、「東京化」してしまった京都の老舗なのだ。

書画用品やお香を売る「鳩居堂《きゅうきょどう》」のように、寺町通に堂々たる店舗を構えていると、他国人はこのブランド店が東京・銀座ではなく、京都発祥であったことに気がつくが、「とらや」の京都一条店は、観光客が多く集まる地域ではなく、しかも静かに構えているために見逃してしまうのだ。

京都ゆかりの商店というと、今述べた鳩居堂とかイノダコーヒとかが有名だが、中心部に堂々たる店舗を構えていると、我々はつい京都の老舗の一つと勘違いしてしまう。

京都出身でもなく、京都との付き合いが長いというわけでもなく、東京や地方の発祥なのに、なぜか京都に溶け込んでしまっている現象を、「京都化《ば》け」と呼んでみたい。そのいくつかの例について語りたいと思う。

御池通の御池大橋に近い高瀬川のあたりに、一軒の店がある。酒を売る店である。現代的なガラス張りの表構えは、老舗という感じではないが、場所が場所なので由緒が感じられる酒類販売業者である。

店名は「ＹａＭａＹａ」。ここでは、世界中のあらゆる酒とチーズなどの酒のアテを陳列している。日本酒や焼酎も豊富である。何より価格が安い。他の安売り店でさらに安いこともあるが、とにかくどの酒も安い値段で売っている。この店は烏丸通にも出店しているが、その場所も資産を持たない業者が簡単に出せる場所ではない。

この店が京都では新参ものであることを知ったのは、しばらくしてからであった。ずっと京都生まれだと思っていたのだが、調べたらなんと宮城県塩釜市で誕生した店であった。ガーン！　全国展開しているチェーンだが、一度も東京で見たことがなかった。京都の一等地に堂々と出店していると、他の土地にも店舗があっても、発祥は京都かなと錯覚してしまう。御池の店の店名は「御池高瀬川店」というらしい。

「星乃珈琲店」が、全国的なコーヒーチェーン「ドトール」の高級版であることは、東京の人をはじめ、多くの人には既知の事実であるのかもしれない。だが、私のように東京の地元近辺でその店舗に馴染んでいなくて、京都で初めての出会いが生じ、しかも京都らしい表の顔を見せられると、そのブランドが京都発祥だと思い込んでしまう。

京都の河原町三条と四条の中間点に立つ「星乃珈琲店河原町店」の外観は、いかにも京都の老舗の雰囲気だ。なかに入れば、何十年もこの地で磨かれてきた京都のコーヒー店という香りが漂っている。元は他の店舗が入っていたのだろう。その店のつくりはそのままに、内装を整えたのに違いない。

「星乃珈琲店」は、京都駅新幹線八条口に「イノダコーヒ」と並んで観光客を集めている。いかにも「イノダ」と並ぶ京都の顔であるかのように。京都で大きな顔をするためには、堂々と商売をすればいいだけであるということが、よく理解できるだろう。

寿司「がんこ」。大阪・十三《じゅうそう》で創業したこの寿司チェーンは、特に大阪、神戸で多店舗を展開しているし、東京・銀座の中央通りにもあるので、京都が発祥だと誰も考えていないだろう。

だが、通りがかりの観光客が「がんこ高瀬川二条苑」の構えを見たら、このチェーンの創業地は京都だったのか、と勘違いするかもしれない。高瀬川の「船入り」前にあるこの場所は、元々高瀬川を開削した豪商・角倉了以《すみのくらりょうい》の家があったところで、明治になってからは、かの山県有朋《やまがたありとも》が別荘にしていたという、それほど由緒のある場所である。そこに今は「寿司がんこ」が入っているわけだ。

高瀬川は、地面とほぼ同じ高さ（グラウンドレベル）で流れている川だが、一部川床が下がっている部分がある。三条通と交わるあたりがそこで、その場所を利用して、一軒の大きなピザレストランが水際にテーブルを並べている。

温かい季節は、その水際の席が特等席になる。高瀬川は桜の名所でもあるので、かなり寒いが、桜の季節にもこのテーブル席は取り合いになる。店の名前は「サルバトーレ」。すぐにおわかりの方もいると思うが、この店は全国チェーンであり、決して京都の発祥ではない。しかし、すでにこのピザの店は、京都の木屋町を代表する一軒になってしまっている。ここでは、店の歴史や謂《いわ》れではなく、高瀬川の瀬音《せおと》を聞きながら、三条木屋町の情緒を存分に味わえるということがポイントとなっている。京都発祥の店ではなくても、やはり京都の店なのである。ここにも、「京都化け」現象が見られるのだ。

今見てきたように、京都のように地元の老舗ばかりが並んでいるように見える土地で、他国の人間が商売するのは大変だと思うのは間違いである。この街にカメレオンのように溶け込めば、すぐに京都の店に早変わりしてしまう。

京都紫野出身の弁護士Tさんと、夜の先斗町を歩いていたときのことだ。先斗町の狭い通りには、案内板をせり出している店が多い。その光景を見て、Tさんは、「こういうことをするのは、東京の店だからです。東京の資本がどんどん入り込んでいる証拠ですよ」と言った。先斗町で妍《けん》を競うように商売しているそれらの店は、もう京都の顔付きになっている。

京都は、「一見さんお断り」の街だといまだに言われることが多いが、何度も述べているように歴史的に外部の勢力を受け入れてきた、日本一我慢の強い土地柄だろう。東京の資本だろうが、どの土地の人間だろうが、入ってくるものは拒まない。そういう度量の広さも同時にあるということだ。

第六章　関西の「ハブ都市」、京都

関西の四つの大都市が一時間圏内

じっくりと関西圏の鉄道地図を眺めていると、京都が関西圏の中心都市であることがわかる。というのは、京都の都心部に住んでいると、関西圏の四つの大きな都市へのアクセスが非常に楽なのである。言うなれば、京都は、大阪、神戸、奈良、大津へと通じているハブ都市なのだ。

大阪を起点にする考えもあるかもしれない、大阪からだと大津へのアクセスが良くない代わりに、神戸、和歌山へは京都よりずっと近い。ただ、大阪は都市の構造が複雑であり、鉄道網が蜘蛛《くも》の巣のように張り巡らされているため、目的の電車に乗るまでの労力が並大抵ではない。

京都もJR京都駅と阪急線・京都河原町駅、京阪線・出町柳駅とで出発点が三分されてしまうが、三つとも他都市へのアクセスが単純であるので、乗り間違えようがない。新幹線も、大阪は新幹線駅（新大阪）とJR大阪とは離れているのに対して、京都は同じである。

どちらが便利かは論議し出すと切りがないが、効率的なハブ都市として、勝手に京都のほうに軍配を上げたい。

私は京都の自宅から大阪に行くのに、ＪＲの新快速を利用することは一回もなかった。ＪＲ京都までは地下鉄に乗らなければならないのに、阪急の京都河原町駅までは歩いて二〇分で着くからだ。特急で大阪梅田駅まで四二分、四〇〇円。大阪方面は梅田駅ではなく、京橋駅、難波方面は京阪を使う。なんば駅へは淀屋橋駅で乗り換えて地下鉄を使うので、六〇〇円かかるが、地下鉄は使わずに大阪中心部に辿り着こうと考えれば、淀屋橋まで四二〇円である。

神戸に行くなら、阪急で京都河原町駅から十三駅乗り換え、神戸三宮駅まで一時間一〇分、六三〇円。時間と運賃は多少高いが、乗り換え一つで楽ちんである。運賃も河原町駅近くのチケットショップで、四二〇円の安いチケットを購入できる。安売りチケットショップが駅近くにあるのは、さすが関西、東京では考えられない。

奈良へは近鉄である。正攻法だと近鉄京都駅から急行で五〇分、六四〇円。一時間に一本は、地下鉄烏丸線から近鉄線に乗り入れているから、それを使う手もある。

いずれにせよ、京都から大阪、神戸、奈良は、ほぼ一時間圏内と考えていい。何度も言うが、京都は観光客に照準を当てた商売が主流である。生活人としての休日を過ごしたくなったら、京阪でも阪急でもいいので、大阪か神戸まで足を延ばすことだ。どちらの都市も、食事、買い物ともに「普段使い」が京都より楽なのは、生活人の町だからだ。

ごった煮の街「大阪」へ

大阪の魅力は、闇鍋のようにごった混ぜ具材が煮立っている文化にある。主要な駅付近の街の風景は、大小のビルの乱立だ。風景が整っていない。官庁街風に気取った中之島を除いては、梅田も難波も阿倍野も熱い鍋のなかである。地下街は迷路そのものである。梅田や難波の地下街に紛れ込んだら、もう抜け出せないと覚悟しなければいけない。

他国人が大阪の地理を理解するのは、なかなか大変である。私はいまだに梅田周辺の歩き方に慣れていない。知人に連れられて何度も入った曾根崎のビアホール「ニューミュンヘン本店（二〇二〇年二月現在、店舗改装中）」の場所も、覚えるのに三年はかかっている。

難波は梅田よりも規模は小さいが、わかりにくさは相当なものだ。書店「ジュンク堂」に辿り着くにも、スマホの地図を解読するのにかなりの時間が必要だった。

大阪のディープな味わいを感じ取るためには、中心部よりも周縁部に行かねばならないが、たまの休日に訪れた他国人が簡単にふらふらできる都市ではない。とにかく、ごった煮なのだから。

「食い倒れの街」大阪と言われるように、ここには中心部にも周辺部にも、数知れないほどのフード店がひしめき合っている。そうした料理屋や飲み屋が、いっぱいの客で溢れかえっている光景は壮観である。もっとも、糖尿持ちの私などは、大阪名物の「粉モノ」は身体の毒になるので、飲み屋にしか縁がない。

素晴らしいのは、フグである。フグ提灯で有名な「づぼらや」は、食べるより飲む店だが、廉価良質なフグ店がほかにもたくさんある。私が利用した「ふぐ天神」は、一人前五二二〇円のコースだが、新鮮そのもので量も多いし、東京だと絶対に一万五〇〇〇円以下では食べられない。冬場は新幹線代を投じても、大阪でフグの顔を見たいと思った。

大阪の人で、大阪が好きではないという人には会ったことがない。大阪人ではなく、たとえば東京の人は、たいてい大阪よりも京都が好きだと言う。私は大阪も好きだ。大好きである。

好きではあるが、やはり疲れる町であるから、阪急で京都河原町に帰着するとほっとする。大阪の演奏会場、ザ・シンフォニーホール、いずみホール、フェスティバルホール、それぞれに第九などを聴きに行き、帰りに「ニューミュンヘン」でビールを引っかけ、ほろ酔いで京都まで帰って来ると、やはり安心するのである。

ローカル感際立つ「神戸」へ

神戸では、地理は大阪より単純である。港町なのに、振り返れば六甲山地の連なりが間近に見えるほどで、山と海に挟まれた市街地は横に伸びざるをえず、街は南北ではなく東西に広がる。三宮、元町商店街がその好例である。大阪同様、都市の雰囲気は濃いが、ここでは「ローカル感」が際立つ。

海が近く、山も近いので、大阪に比べると観光地的雰囲気は強いが、三宮駅周辺の込み入った飲食街は、まことにごみごみしている。神戸人はファッションはともかく、町づくりに関してはまったくオシャレではない。微妙に大阪とは違った印象を受けるのは、規模感が小さいからだろうか。

ごみごみと埃《ほこり》っぽい町並みだから、とにかく真夏の三宮は実際の気温以上に暑苦しい。もっとも、三宮周辺はだんだんと高層ビルができ始めている。そうなると、神戸も「らしさ」を失って、他の大都市と似たり寄ったりの都市に変貌してしまうだろう。

神戸の人はオシャレだという。その真偽のほどは、京都、大阪と比べると理解できるかもしれない。日曜日にカトリック教会のミサに参加したことがあった。信者ではないが、讃美歌を聴きたくて行ったのである。カトリック神戸中央教会のミサは九時半からだから、京都で六時起きして神戸に向かった。中央教会は、阪神大震災のあとに三教会が統合されて生まれた現代的な建築だったが、京都のカトリック河原町教会のような見事なステンドグラスはなかった。

しかし、参会者の服装を見て、おや、と感じたのは、どことなくオシャレなのである。古着を着ているというふうがなく、派手ではないが整った服装をしている。少しカラフルでもある。神戸はオシャレな伝統があるとよく言われるが、こういう光景に触れると納得できるものがある。京都に比べて、ファッション系の独立店も多い。常日頃から、市民、ことに女性は、こうしたファッション店に出入りするので、目が肥えてくるのは当然であろう。

神戸はメインの道路を覚えると、あとは比較的楽であるが、鉄道事情は相互乗り入れのため複雑である。阪神線かと思えば、いつのまにか山陽鉄道に入っているといったことがある。だから、板宿《いたやど》という駅が地下鉄なのか、山陽鉄道なのか、判然としないのだが、元は山陽電鉄の地上駅だったらしい。震災を機に地下鉄になったとか。

私は少年時代に神戸市灘区に住んでいたくらいだから、神戸に関しては結構知っていると思っていた。しかし、板宿という町は、京都に暮らし出してから初めて知った。長田《ながた》区の住人Ｄ先生に案内してもらったのだが、幅広の商店街のあまりの居心地の良さに、陶然としてしまった。アーケードが掛かった広い「板宿本通商店街」は、天井の明かり取り窓から太陽光が降り注ぎ、花屋やファッションの店など、小綺麗な商店を輝かせている。「神戸珈琲物語」というコーヒーチェーン店の落ち着き方も気持ちがいい。さほど買い物客がいないのに、シャッター街にはなっていない。本通りから左右に伸びる何本かの通路に、八百屋や魚屋などの生活感のある商店が並んでいる。

この商店街は、一九九五年の阪神大震災のときにもアーケードが落ちず、被害が少なかったのだが、その直後に現在のアーケードに建て直されたのだという。町並みが以前とほとんど変わりなく続いているということで、この雰囲気が維持されているのだろう。

板宿の落ち着きもいいが、やはり神戸は三宮と元町だ。魅力のある場所がそのあたりに固まっている。「さんちか」という地下商店街、長大な元町商店街、中華の南京町、神戸ポートタワーのあるメリケン波止場、山手には北野異人館街、三宮から二駅西にある兵庫県立美術館。暑苦しい街だから、夏に神戸の街を歩くのは辛いが、歩きつつ食べつつ飲みつつとなれば、神戸ほど楽しいところはない。

コーヒーは、「にしむら珈琲店」が最大手。山手幹線沿いの本店や三宮駅前店もいいが、北野坂登り口の北野店が、私の贔屓店である。作家の筒井康隆も、かつてはこの店の会員だったはずだ（以前は、会員制だった）。

元町にある老舗の「ＥＶＩＡＮ」という老舗は、Ｄ先生に教わった。昭和の雰囲気が濃厚に漂う外観、内部も情感たっぷり。ここではミルクコーヒーがお勧めらしい。北野坂の「スターバックス」は、震災で被害を受けた異人館を移築して営業していて、たいへんな人気店になっている。

神戸の「食」と言えば、中華と洋食だろうか。南京町の中華店は、横浜の中華街よりもぐっと庶民的な値段の店ばかり。逆に言えば、高級中華はない。ここでは、行列のできる「民生《みんせい》」がダントツで旨いと評判であるし、私もそう感じた。

中華街といえば、関東では横浜の中華街が有名だが、そこで美味しい店に出会ったことがない。神戸に比べると、価格が高い高級店が多い気がする。神戸の南京町の中華店は有名店は少ないが、安価な店がほとんどだ。

洋食で神戸とくれば、ビーフカツレツ、つまりビフカツを食べようということになろうか。ステーキは高額だが、ビフカツであれば、ほどほどの値段でそれなりの肉が味わえるからだ。

といっても、私が入ったのは二軒のみ。老舗の「もん」と行列ができる店「グリル一平三宮店」である。一般的に洋食店は高級になればなるほど、量が少なくなる。東京の「資生堂パーラー」がいい例だが、量が少なくて高額なのは、私の好みではない。その点、神戸の洋食店は値段も量も手頃と感じられる。

神戸名物の光景といえば、阪急・神戸三宮駅から元町駅の先まで、高架下に小さな商店がびっしりと連なる商店街だろう。飲み屋やカレーの食堂、靴屋やお菓子や洋品店が奥行きのないスペースを効率よく使っている。通路はいたって狭いが、それがかえって人間らしい温かさを醸し出している。

「家庭の延長」という暖簾《のれん》の文字に惹かれ、つい立ち止まってなかを覗きたくなる「皆様食堂」は、朝から飲める店だが、常連さんでいつもいっぱいの印象。高架下ではなく、高架に沿った南の狭い路地にも、多くは飲み屋が並んでいる。どの店も小さいが、ときに行列ができる中華「珉珉」もそこにある。立ち飲みの店も多い。光景としては、まさに「ここが神戸」と断言できる地域だ。

立ち飲みといえば、阪急・神戸三宮駅西口から一分の「ＧＯＮＴＡ」に言及しなければならないだろう。「ＧＯＮＴＡ」は、生ビール中が一九〇円と激安（なんだか量販店の謳い文句みたいだが）、和洋中の料理はどれも活きがいい。アルバイトの若い男女も同様に元気溌剌《はつらつ》。ビフテキという五五〇円のメニューがあるが、京都でステーキを売り物にしている某店の品質と比べてもはるかに旨い。財布の中身が豊かでない方は、神戸ステーキはここで済ませるといいだろう。

そもそも、GONTAの存在を教えてくれたのは、D先生である。京都新聞のラジオ・コマーシャルではないが、「地元のことはやっぱり地元」の人に訊くのがいい。D先生とは、神戸ルミナリエの夜、偶然阪急電車内で出会った。ルミナリエが消灯される前に、一杯引っかけていこうと誘われたのである。

神戸ルミナリエは、阪神大震災の鎮魂のために、毎年一二月に三宮・元町の商店街の一角を、頭上いっぱいのイルミネーションで飾る催しだ。LED電球など、五〇万個の電球を使用しているとのこと。この催しは、会場入り口でかなりの時間待たされるので、終わりがけに観るのが正解である。

そのことを地元のD先生は知っていたわけである。ルミナリエを二〇時に観ても、神戸に泊まったわけではなく、京都に戻った。つまりそのくらい気軽に、京都から神戸に行けるということなのだ。

阪急・神戸三宮駅の構内を含め、高架下商店街は、付け替え工事のため消滅の危機にあると聞いたが、本当だろうか。神戸が神戸らしいのは、まさにここなのだ。貴重なローカル色が失われてほしくないものだ。

たおやかな古都「奈良」へ

大阪、神戸だけではない。京都から日帰りで行ける範囲内には、魅力的な都市がいくつも存在する。今度は奈良について語ろう。二〇一八年の元日には、京都の混雑を避けて、奈良の東大寺に初詣に出かけたが、混みようもほどほどで快適だった。

東京では明治神宮などの都心の神社を筆頭に、どこの寺社もたいへんな混み方になる。私の地元の高幡不動尊なども、年に一度の大混雑となり、警察官の号令の下、駅前から参道に行列を作って賽銭《さいせん》箱まで進む。だが、あの大仏さんの東大寺には行列などできず、余裕でお参りできるのである。

東京の周辺都市で、古都と呼べるのは鎌倉くらいだ。鎌倉は、東京駅から五五分。しかし、鶴岡八幡宮《つるがおかはちまんぐう》の混雑ぶりは、東京都心と変わりがない。鎌倉の町は狭隘《きょうあい》で開けたスペースに乏しく、逃げ場がない。失礼ながら、鎌倉は古都といっても、たかだか一二世紀くらいからの歴史しかないし、天皇が一度も住んだことのない土地である。奈良とは比べようがない。

さらに言えば、関東は東京、鎌倉以外、どこに行こうが歴史上表舞台であったことがなく、文化史に残る名所が関西より圧倒的に少ない。というか、ないのだ。説明するまでもないが、一番豊かな文化遺産を残していた東京は、空襲ですべて焼けてしまった。

奈良好きの知り合いがいる。その彼は、年間、何度も奈良に通っていた。どこをどう歩いていたのかは知らないが、一〇〇回はすでに訪れたはずだ。彼が会社の定年を迎えたあとに、最近の奈良詣でについて訊くと、しばらく行っていないと言う。

おそらく、勤めのストレスが強かった現役時代には、奈良のたおやかで静かな環境が心を癒《い》やしていたのだろう。勤めが終わった途端に、その必要がなくなったということなのだが、奈良という土地の特徴がよくわかるエピソードではないだろうか。京都ではなく、奈良であるというのは、奈良はそういう空気感のある場所だからだ。

奈良は一言で言えば、田舎っぽい土地である。京都は町だが、奈良は田園だ。夜が早く、商店は軒並み明かりを消してしまう。それゆえ数十年前は、食べるのも飲むのも適当な店を探すのに不自由したくらいだが、今や近鉄・奈良駅前の商店街におけるフード事情はかなり変わってきている。

一番賑わっている東向《ひがしむき》商店街には、食べ物店が軒を連ねているし、一度その奥の和食店に入ったときには、鄙《ひな》には稀な上質な料理を味わうことができた。単にカレーを食べる店であっても、ほどほどに満足を感じるのはなぜだろうか。奈良という古都が保っている、がつがつしない人情からくるのだろうか。

奈良にはいいホテルが少ないと、昔から言われている。文芸編集者時代には、もっぱら「奈良ホテル」に泊まった。現在、数は相当増えたようだが、やはり質・量ともにまだまだであるらしい。

というのも、観光客は奈良一本に絞って来るわけではなく、京都旅行のついでに、というケースが多いからだ。泊まりは京都で、奈良のお寺を一つ、二つ見て帰っていく。奈良にはお金は落ちず、すべて京都が攫《さら》っていくという構図になるのだ。逆に、これは京都が奈良にいかに近いかを示してもいる。

豊かな文化を秘めた近隣都市へ

京都から最も近いのは、大津である。京都都心部からは、京阪のびわ湖浜大津駅は地下鉄東西線が乗り入れているので、山科のほんのちょっと先という位置関係である。びわ湖浜大津で降りると、もう琵琶湖の湖畔に行き当たる。夏恒例のびわ湖花火大会など、日帰りで見に行けるのだ。

この沿線には、三井寺《みいでら》、石山寺《いしやまでら》といった古刹《こさつ》がある。紫式部のころはさぞかし山深い場所だったと思える石山寺にも、京都から簡単に行ける。

近江八幡駅には、京都駅からJR琵琶湖線に乗って行く。妻と一度行こうとして、湖《こ》西《せい》線に乗ってしまったときは、近江舞子という駅に着いてやっと間違いに気がつき、また戻って琵琶湖線に乗り換えた。京都駅の出発ホームが同じなので、間違えやすいのだ。琵琶湖線は琵琶湖の東側、湖西線は西側を走る。

近江八幡へは三回ほど訪れている。倉敷の美観地区のような歴史的な街区までは、バスに乗らないとやや遠い。「日牟禮《ひむれ》八幡宮」参詣や舟での水郷巡りをはじめ、観るべき場所は結構多い。

この町は近江商人で有名だったところで、「メンターム」で知られている近江兄弟社の本拠もある。ウィリアム・ヴォーリズという建築家の設計による事務所、病院、図書館など、古い建物が二五カ所も残っているのも見所だ。

ヴォーリズといえば、京都の東華菜館の建物がそうだということは前述した。実は東京にもヴォーリズ設計の建物がある。御茶ノ水「山の上ホテル」本館がそれである。本館の前に立って、ファサードを見上げれば、ヴォーリズの建築のなにがしかが伝わってくるだろう。

全国に進出している和菓子の「たねや」発祥店も、神社の並びに居心地のいい店舗を構えている。その向かいの洋菓子店「クラブハリエ」のバームクーヘンの人気も高い。実はここも、「たねや」がオーナーだ。

だが、この町で独断的にお勧めしたいのは、日牟禮八幡の鳥居の反対側の仲屋町《すわいちょう》通りにある、大衆食堂「初雪食堂」である。私の京阪神ベストワン食事処だ。妻と再訪したときには、当地のお祭りとぶつかって、その店が休んでいたのは今でも残念でならない。高知や高松に行ったときにも感じたが、本当に安価で美味しいものは地方都市にあるのではないだろうか。

近江八幡の隣の駅が安土《あづち》なので、信長最後の居城安土城跡を、自転車を借りて訪れてほしい。安土城は観ておいて絶対に損のない遺跡だ。

話はまた、東から西のほうの都市に戻る。明石《あかし》には、神戸まで行き、足を少し延ばせばたちまちというほどすぐに到着する。ここでは、なんと言っても「魚の棚」（うおんたな、と発音する）という市場通りが面白い。

「うおんたな」には、数十年前から興味を持っていた。文芸編集者のときに担当していた作家・田中《たなか》小《こ》実昌《みまさ》が、この町に長逗留《ながとうりゅう》していた時期があって、この市場に酒の肴《さかな》を買いに行くのだと聞かされていたからだ。「魚の棚」という名称から、魚が棚に並んでいる光景を想像していたものだが、それは違っていた。

この地は、「たこ焼き」の発祥地だということで、生も干物も、たこそのものが売り物の主流であるし、たこ焼き屋がまた多い。たこ焼きは、老舗の二軒に入ったことがあるが、いずれも木の板に大ぶりのたこ焼きが載ってくる。たこは当然としても、穴子入りとかバラエティ豊富で、とろーりと熱々の一個を口に放り込みながら、冷たいビールで流し込む。これぞ人生の快楽の最たるものかと思わせる。

姫路も日帰りＯＫの町だ。ＪＲ京都駅からだと、新快速で一時間半。この地に知り合いの歯科医が開業していて、京都に住み始めのときにはここまで通っていた。だが、さすがに電車賃もバカにならないので、京都市内の歯科医院に変えてしまったのだが、姫路ですら京都からの日帰りが簡単なのである。

一〇月の某日、姫路駅前のホテル日航姫路で開催された「播州酒・食・文化懇話会」に妻と出席した夜があった。文芸編集者時代、作家・平岩弓枝《ひらいわゆみえ》に誘われて、何度かこの会に参加させてもらい、主催の蔵元・酒類卸商の皆さんとは顔馴染みであった。

十数年ぶりで、懐かしい方々と旧交を温めることができた。会が終了して、以前は主催の方々に連れられて、バー街を飲み歩いたものだが、もうそういう元気もお金もないので、まっすぐ京都に戻った。それが可能な距離だということだ。姫路城を観たいというときにも、京都から余裕で日帰りができる。

都市の魅力って何だろう

こうして京都から周辺の都市へと出かけてみると、関西という歴史の古い土地柄が身に沁《し》みて感じられる。こうした感触は、東京から近郊のどの都市に出かけても味わえないものので、東京とその周辺は、文化が根付くには江戸時代まで待たねばならなかったのであり、平城京が九世紀の初めと考えると、やはり一〇〇〇年近く遅れた地域だったのだなと実感が湧く。

文化の歴史が古いことが、今でも地方色、すなわちローカル色を感じさせる要因となっている。東京から移ってきた人間にとっては、この色濃い土地柄が最大のご馳走なのである。その貴重なローカル色は、電車に乗っていても強く感じられる魅力だ。阪急、京阪で味わうローカル感は、東京の小田急、西武、京王では味わえない。東京の電車は、清潔でスマートだが、地方色は完全に払拭されている。

私が横浜よりも神戸のほうに親しみを感じるのも、横浜は一部古い市街を残しているものの、「みなとみらい」地区に代表される現代建築群が市全体を覆っていて、かつては色濃く漂っていたはずのローカル色を失っていっているからである。

高層ビル街は、人間の温かみを希薄にさせ、人間一人ひとりを土地から疎外する。現代的な建物が連なっている東京のオフィス街や、高層のショッピングビルがそそり立つ主要ターミナル駅周辺が、非人間的な空間になっていることと同様に、横浜だけではなく、全国の主要都市はことごとくミニ東京化してきている。このまま進むと、名古屋でも福岡でも札幌でも、非個性的な都市空間は広がるばかりである。

神戸では、阪急・神戸三宮駅前に現在、高層ビルを建設している。上層階はホテルとなるようで、ホテルの選び方が難しい神戸では至便な施設となることは間違いがないが、ただでさえ過剰なショッピング施設がまた増えることの心配と、やはり神戸ローカルの喪失を招くことが明らかだという懸念に襲われる。

その高層ビルと、「そごう」から生まれ変わった阪急デパートを含めると、三宮駅周辺に五つも大きな食料品売り場が存在することになりそうだという予測もある。このあたりで、商業開発ばかりに力を入れる方向を変えないと、結局は人間性の貧困化を増長させるばかりだと思う。

京都も含めて関西の都市が、それぞれのローカル色を失っては、わざわざ他地方から出かけてくる意味がなくなってしまう。京都市だけではなく、関西の各都市は、今からでも強力な条例を作って、古くからの町並みと文化を守っていく方向を模索するべきだろう。結局はそれが都市の魅力を作り出していくのだから。

第七章

「京都人になる」ということ

大学教員として過ごした五年間

私が京都造形芸術大学での教員生活は、都合五年間であった。短いとも言えるが、就任したときの年齢が六四歳なので、五年やれば十分だろう。京都の生活全般について語るべき本書において、仕事の項目がないのもおかしいかもしれないので、ここで少し述べることにしよう。

京都造形芸術大学といえば、「ああ、京都市立芸術大学が裁判所に提訴したあの大学か」とうなずかれる方も多いだろう。そう、この大学は、二〇一九年八月、大学名を「京都芸術大学」と変えると発表したのである。略称は「京都芸大」になる。「市立芸大」と差別化できるのか、というのが騒動の発端だった。だから、本書が刊行される二〇二〇年四月には、京都芸術大学に改称されているかもしれない。

大学との契約は三年だった。ただ、毎年更新であるので、向こう様がこいつはいらんと判断すれば、一年でもクビにできる条件だった。専任教員ではあるが、「特任」という名の特別教員である。

それでも、専任の教授になれるということは素直に嬉しかった。それは私にとってすなわち、日本大学芸術学部の非常勤講師のときから憧れていた「研究室」という個室が与えられることを意味する。

ところが、この大学に研究室はなかった。確かに個人のスペースは確保されてはいたが、隣との仕切りはあるものの、扉もなく、頭の上も素通しの小さなブースがそれだった。学科事務室とその向こうにある学生の溜まり場から、絶え間なくけたたましい笑い声が飛びこんでくる、プライバシーもないようなスペース。ここで研究活動をすることなどお笑い種《ぐさ》であった。飲酒も禁止である。教員同士で、または学生たちと酒を汲み、談論風発というふうに描いていた光景は夢に終わった。

最初の年は、後期の授業が終わるまで、毎週京都に通うという勤務体制だったことは述べた。そこでも述べたが、週三日勤務のはずが、この大学の仕事は、想像していたよりもはるかにハードだった。オープンキャンパスやAO入試、学生の面談や教員向けのFD研修など、毎日のごとくなにがしかの職務が課せられる。

半期ごとの作品展が催される関係上、夏休み、冬休みも学生指導に時間を取られることが当たり前であった。冬休みには、何千枚という卒業制作の原稿を読み終えておかなくてはならない。東京での正月も、元日から原稿読みである。枚数制限を設けなかった年までは、五〇〇〇枚（四〇〇字詰換算）の原稿を、年末から正月が明けるまでに読んだこともあった。

それでも初めて接する学生たちとの日々が、私の晩年の人生に活気と喜びを与えてくれたことは事実である。それまでカルチャーセンターの創作講座の講師を、新宿と立川で務めていたが、そういう場所では生徒さんの年齢が高い。二〇代の若い野心家もいなくはなかったが、五〇代、六〇代が大半で、七〇代の生徒さんもちらほらとおられた。

はっきり言って、中高年の方々の作品は、良く表現をすると安定しているが、悪く言うともう技術もテーマも固まっていて、研鑽《けんさん》を重ねてもその色合いが変わらないという傾向が強かった。

大学に来て一番感心したのは、若い人の「跳躍力」である。私の学科「文芸表現学科」の学生の大半は、小説を書くことを目標にしている。エッセイを書かせても感心するような原稿とはめったに出会わないが、彼らの小説作品は「え、あの子が！」という驚きを与えるほど、生き生きとした生命力に溢れた表現が見られる。作品がゴム鞠《まり》のように弾んでいるのだ。「若いって、こういうことなんだな」と感心することしきりであった。

学科長としていつも挨拶をするときに、学生に向かっても、保護者に対しても、第一に、この学科が文学部ではないことを説明した。そして、全国でも唯一のエンターテインメント（遊びとしての、楽しみとしての文芸）を目指す学生を養成するのだと。学科紹介のパンフレットに書いた文章から抜粋しよう。

〈（エンターテインメントが現代文芸の王座を占めている）そういう時代であるにもかかわらず、全国のどこの大学を調べても、エンタメが専門の学部・学科の責任者は一人もいません。（中略）エンタメを愛する高校生の皆さんに、ぜひこの学科を覗いてみてほしいと思う理由がここにあります。〉

この学科はそもそもが、「創作講座」の先進国アメリカから、新元良一《にいもとりょういち》が持ち帰ったプランを基に創設された。語学教養を蓄えることを目的とする文学部とは違うわけである。さらに、近年のエンターテインメント分野の浸透度から、学生の志向が純文学よりもライトノベルやファンタジーの方向に振れてきていることを念頭に、授業内容もその流れに対応しなければ、と考えたのである。

従前の文学教養だけでは学科の存在意義がない、エンタメの技術指導に比重を移そうと、教員人事もそれに沿って考えることにした。だが結局、私が去ることで、その試みも半ばに終わってしまった。そのことだけは残念である。

「学募（学生募集）」と「就活（就職率）」しか目標のない大学経営者においては、学科の目的をどこに据えて、そのためにはどのような授業をしていけばいいのか、ということはどうでもいいことのようだ。学生こそいい迷惑だろう。

ところで、学生たちの多くは京都市出身ではない。彼らはなぜ地元から飛び出して京都に来たのか、またどうして東京まで行かなかったのだろうか。ほとんどの学生の答えは、私の所属していた学科に入りたかったということを一番の理由に挙げていた。ネットで調べて、この大学のこの学科という明確な目標を立てて来ているようだった。

東京に対して、密《ひそ》かに恐れを抱いている学生も多かった。東京は遠すぎること、そのため余分なお金がかかってしまうことも理由になる。確かに、福岡出身者が東京から里帰りする場合、最も早く、疲れないで帰るには、飛行機が一番である。新幹線のぞみで五時間ちょっと、深夜高速バスだと東京—小倉間は一四時間半もかかってしまう。京都からなら、その半分の時間で済む。

家賃も、京都に比べて東京だと、よほど辺鄙《へんぴ》な場所以外は一万円以上高くなることは間違いない。市役所に近い私のワンルームマンションは六万八〇〇〇円だったが、東京のターミナル駅近くであれば、最低でも八万円は取られるのではないだろうか。
学生たちが観光の京都、つまり神社仏閣やお祭りの京都を満喫しているかといえば、まったくそうではない。祇園祭を例に取っても、この祭りの最大のイベントたる山鉾巡行を観に行っているかといえば、ノーである。

祭りの日にはたいてい授業がぶつかることに加えて、興味がないのか話題に上ることも少ない。学生は新聞を取っていない、テレビも持っていないので、祇園祭のような大規模なお祭りの開始日も知らないうえに、興味も持たないようだ。ただ、保護者が子供の下宿先に泊まり込みでやって来て、一緒に観に行くということはあるらしい。

大学の教職員も、意外に京都出身者が少ない。そもそも大学教員というのは、研究者が全国の大学の公募に応じて採用されるので、「よそさん」ばかりであるのは当然なのだ。学生たち同様、祇園祭をはじめ、京都のお祭り行事にはほとんど関心を示さない。それは逆に、この土地の住人であることの証明なのかもしれない。観光客で身動きできないような場所に、一度行って懲《こ》りたということも考えられる。

東京の大人たちが京都に憧れる理由とは、一切無縁な理由でこの地に漂着している学生たちは、卒業してからどうするのか。東京育ちは別として、主に西日本の地方都市からやって来た者たちは、京都から離れたがらない傾向がある。

先ほども書いたが、古都・京都のイメージに憧れて、四年間寺社仏閣巡りをしていたわけではない。祇園や木屋町に夜ごと出没していたわけでもない。もっとも、そういった繁華街で飲食業のアルバイトをしているうちに、学生業よりもそちらが本業になってしまう学生は男女問わず多いが。

大阪在住の学生は、概して大阪の実家から動かない。彼らは大阪の街にも人にも自信を持っている。同時に、東京を嫌っているか避けている。東大阪市に自宅があるT君は、気取っているという理由で神戸を嫌っていたし、大阪のなかでも梅田近辺は近づかず、もっぱら地元・難波周辺で活動していた。

育った地域へのこうした執着は、たとえば西日本の山口県や鳥取県出身者からは窺えないものである。故郷を自慢に思わず、帰りたくない気持ちが強い地方出身者は、京都に残りたがるのである。

「宿」も「ホテル」も変わりゆく

修学旅行で京都は二度訪れているので、どこかの旅館に泊まったはずだが、まあ宿舎といったほうがいいような旅館であったはずだ。まったく記憶に残っていない。

京都の宿で最初の記憶は、河原町通西入ルの三条通に面した、「大文字家《だいもんじや》」という、いかにも京都という感じの純和風の旅館だった。一九七三年五月の社員旅行のときだ。私はその四月に入社した、新入社員。月刊「小説新潮」の役員と編集部員一〇人くらいがメンバーだった。飲んで大騒ぎをするでもなく、静かな酒宴だった。

その後、京都を訪れた際に再度泊まることもなく、「大文字家」のことは忘れていたのだが、京都に住むことになってからネット情報を頼りに探してみたら、なんと廃業してから長く、跡地はそのままに放置されているという。

入り口はシャッターで塞がれているが、隙間から奥を覗けるというので、某日出かけてみた。場所はＪＥＵＧＩＡ楽器店の斜交《はすか》いくらいだろうか。かろうじて隙間から奥のほうに目をやってみると、京都らしい奥深い玄関の様子が少し見えた。驚いたのは路地の入り口の幅の狭さであった。一メートル半くらいか、いやもっとあるのかもしれないが、これほど狭い入り口だったという記憶はなかった。

京都はこれほどの中心地でも、空き家になっていたり、地上げにあって大きな施設が建ったりということが、ときどき見られるようになった。うなぎの寝床に例えられるのが、京都の町家である。表の通りからは奥深い内部が見通せないからで、こうした土地や家の奥深さもまた、京都人を作ってきた土壌なのかと考えるのだ。

二〇一七年に新京極通と寺町通にまたがって、「GRACERY（グレイスリー）」というホテル（北館・南館）が、突如という感じでオープンしたのには驚いた。京都でも指折りの商業地域であるから、まとまった大きな空き地など余っているはずはないのである。密かに地上げが進行していたのだろう。

立地が良いというより、良すぎるのだ。私もたびたび映画を観たシネマ・コンプレックスのMOVIX京都へは、二〇秒ほどで着いてしまうだろう。まさに京都一の商店街の真ん真ん中にできたホテルで、しかも一種のビジネスホテルだから平日は高額ではない。

私も京都を離れてから二度泊まったことがあるが、部屋の窓から新京極通のアーケードの屋根が、蛇の腹のようにうねうねと眼下に続いている光景に感動してしまった。今や私のお勧めの宿一番手である。

かつては、京都は一大観光地なのにいいホテルがない、という嘆きが聞こえてきたものだ。東急、グランド、ANA、京都、日航プリンセス、都、フジタ、ブライトンなど、どれも評判はいま一つだった。

私が出版社の編集者であった時代は、会社が契約している「からすま京都ホテル」一辺倒であった。ビジネスホテルだったが、実際にビジネスで泊まっているのだから、なんの不便もなかった。祇園や四条河原町で飲んでの帰りも、タクシーに乗らずに歩いて帰ったものだ。やや遠くても京都はそれができる。

その後、ホテルグランヴィア京都が出来てから、私のなかではここが一番ということになった。グランヴィアはシングルがないのが難点だが、シーズンを外すとかなりの値引きをしてくれる。ここの売りは朝食のバイキング。そもそも大食漢の私は、糖尿になる前は、朝からこちらの朝食会場で食べ狂っていたものだ。

しかし、なにぶんグランヴィアは京都駅の上にあるから、観光地から戻る手間を考えなくてはならない。今、京都は多様性のある小規模・中規模ホテルがどんどん増えている。グレイスリーのように、こんなところに、と驚くような場所にもできていて、選択肢は増える一方である。

ただ、京都のホテルは時期によって値段が倍どころか、三倍にも四倍にも跳ね上がってしまうのは困ったものだ。安いホテルの代名詞のようなアパホテルも、桜の季節の三月下旬には一泊二万円以上するのだ。桜、祇園祭、秋の紅葉、これらの季節は値段が高騰することを覚悟しておかなくてはならない。

京都へ東京から通いだった初年度、大学で泊まらせてもらったホテルは、いずれも一泊一万円以下の安いホテルである。そのなかでは建物も部屋も古くて色褪せているが、ザ・パレスサイドホテルはお勧めしてもいいリーズナブルな料金のホテルである。

私の住まいのすぐそばの麩屋町通に、白山《はくさん》神社というまことに小さな神社が鎮座ましましている。伝説によるとこの社は、この姿形のまま空から舞い降りてこの地に座ったそうだ。その逸話はさすがに京都で、京都に数ある名刹に比べて圧倒的に無名なこの社でさえ、そんじょそこらの地方の神社とは別格の存在なのであった。

地に伏したようなその社に軒を接して、高層のホテルが立っている。建築が始まったのは、二〇一八年だったろうか。みるみるホテルが建ち上がっていき、半年足らずで完成したと記憶する。

それが、「ホテルリソルトリニティ京都」という覚えにくい名前のホテルである。調べると「リソル」グループは、京都でほかに二棟ホテルを建設した、不動産系の仕事を手広くやっている企業のようだ。

このホテルの一泊料金は一万二〇〇〇円くらいなので、グレイスリーよりも少し高い。

ここで気をつけてほしいのは、京都のホテルはハイシーズン中の土曜日とか祝日の前日には、平日の二倍の料金が課せられることもあるということだ。京都を訪れるのなら、平日に限る。

ウェスティン、リッツカールトンなど、外資系高級ホテルに関してはあえて述べないことにする。利用したことがないので、その資格もない。

「白山神社」と「ホテルリソルトリニティ京都」

旅館についても話しておこう。旅館は今や私の趣味ではないが、京都を代表する旅館に泊まりたいという方がいてもお止めはしない。

二つの代表的な旅館「俵屋《たわらや》」と「柊家《ひいらぎや》」は泊まったこともあるし、京都に住んでからも、お呼ばれで「柊屋」の夕食を二回ほど味わった。それぞれ、一人一泊四万円くらいかかるはずである。

湯布院の「玉の湯」と同じくらいのお値段だろう。

料理は一時は「俵屋」が群を抜いていたといわれたが、今は「柊屋」のほうがいいと主張する人もいることを付け加える。「柊家」は改装して秀麗な建物になったが、私は外部との接触を遮断した閉塞感のある部屋には泊まりたいとは感じなかった。

俵屋には、取材で料理評論家の山本益博《やまもとますひろ》と一緒に泊まったとき、出てきた料理は素晴らしいとしか言いようがないほど手がこんでいた。だがその後、別の著者とのときは、レベルが下がっているように思えた。泊まり客によって料理の質が変わってしまうのだろうか。

サービスはさすが全国の旅館の代表格のことはある。ただ、部屋とその前の箱庭はこぢんまりとしていて、そこが京都らしいと感じられればいいが、私の好みではなかった。

はっきり言って、京都のこれらの老舗を「追いつけ、追い越せ」と目指していた湯布院の二つの名旅館、「亀の井別荘」と「玉の湯」が、今やすべての点で追い越してしまったのではなかろうか。私は「亀の井」にも「玉の湯」にも四、五回は泊まっている。素人《しろうと》の感想ではあるが、そのように言ってしまいたくなる。まして、湯布院は風呂も沸かし湯ではなく、こんこんと湧き出る温泉である。

旅館といえば、私が住んでいたマンションは、南北の通りでいえば柳馬場だが、その通りを御池通から少し南に下ると、「石原」という小ぶりな宿が左手に現われる。注意して歩かなければ、通り過ぎてしまうほど地味な外観である。

すぐにピンと来た人は映画通である。そう、黒澤明監督の晩年の定宿であったのはここで、死を招く原因となった骨折もこの宿でのことであった。黒澤ファンの皆さん、特に高齢の方々はくれぐれも転ばぬように気をつけられたい。

「京都」と「ヴェネツィア」は似ている

京都で暮らして二年目くらいのときだろう。ワンルームの小さな食卓で夕食を始めようというときに、たまたま京都に来ていた妻が放った言葉が面白かった。

「京都の人って、どこで服買ってるんだろう?」

どこで、あんな綺麗な服を手に入れているのか、という意味ではない。「京都の着倒れ」という俗語もあるように、何においても日本で一番に格式の高い古都である。まさか十二単《じゅうにひとえ》は着ていないものの、さぞかし着るものにはお金をかけているのだろうと他国人は想像する。

違うのである。通りすがりの観光客にはその部分は気がつかないことだろうが、この町に少し住んでみれば、ファッション事情が見えてくる。妻が言うのは、どうして京都の人たちは、ファッションなどという言葉さえなかった、ひと時代もふた時代も前のような、極端に表現すると古布をまとったような恰好をしているのだろうという疑問である。特別なブランドではなく、ユニクロなどでいいから新しい服を買って、すっきりとすればいいのにという、そういう意味なのである。

確かに、祇園あたりを歩けば、芸妓や舞妓、料亭の女将、あるいはいいとこの奥さんなどは、地元の人でも立派な着物を召されている。しかし、私が住んでいる「洛中」、今の区割りで言うと中京区の周辺の住民たちは、失礼ながら近所の洋品店で求めた一張羅《いちちょうら》を、何年も使っているとしか思えなかった。

よくよく町を見て歩くと、普段使いの洋品店が要所要所にある。地元民御用達の商店街、東山の狭小な古川町商店街、幅広く、長さも立派な三条会商店街、昭和の香り漂う出町柳の出町桝形商店街など、連なる商店の丁度なかほどに、そうした洋品店が昔ながらの衣服を並べている。

しかし、東京都心部から外れた、私の自宅がある日野市の高幡不動駅あたりでも、豪華な洋服とは縁が薄いものの、色褪せたり、弛《ゆる》んだりしていないおニューの洋服を着ている。

それなりにみんな小綺麗にしている。つまり、自分がどういう恰好をして街を歩けばいいかを意識しているのである。

ところが京都洛中の住人たち、ことに中年以上の男女の洋服というと、一様に灰色の衣装をまとっているような……ま、さすがにそれは言いすぎだろうが、京都の着倒れなんてどこの国の話かという印象を持つのである。

京都の住人のオシャレ度は、神戸に行ってみると気がつく。東京からまっすぐ神戸に行っても、東京人はこの町に、地方都市のローカル臭を感じ取るだけかもしれないが、京都から向かうと、途端に神戸はオシャレな街として見える。

神戸の人たちは関西地区でも一番のオシャレということになっているが、神戸を歩くとその意味が納得できる。もちろん、神戸で普段着を目にする住宅街に行くことは少ないので、繁華街でしかファッション事情がわからないということは差し引かないといけないだろう。

世界の都市のなかで、私が一番好きなのはたぶんヴェネツィアなのだが、不思議なことに、京都はこの海上都市に似ている。最初に一つ共通点を挙げると、やはりヴェネツィア人はオシャレではないということだろうか。なぜか魚や野菜を買いに市場に赴くときなどに、女性陣は厚く化粧して、よそ行きの洋服に着替えていくようだが、普段のヴェネツィア人はたいてい黒っぽい地味な恰好をしている。まあ、ゴンドラ漕ぎの船頭たちの、黒いパンツとボーダーのTシャツをイメージしていただければいいかと思う。

二つの都市は、観光客の多さで、世界でも群を抜いている存在である。観光客は、よほどのお金持ちでない限り、オシャレな洋服では旅に出かけない。パーティ用のドレスをスーツケースに入れて、宿泊先のホテルに送らせるようなお金持ち人種については、この際考えに入れない。観光客の恰好は、男なら下はジーンズかチノパンツである。男女ともお揃いの、Tシャツとジーンズなんてこともざらである。

そういう普段着の観光客ばかりが徘徊していれば、地元の人間がオシャレをしなくても目立つことはない。オシャレをすると、逆目立ちする可能性だってある。ごく自然に、季節を問わず観光客がうろちょろしている京都やヴェネツィアのような都市では、ことさらに綺麗な洋服を着る必要がないということなのだろう。

京都がパリやローマではなく、同じ古都のなかでどうしてヴェネツィアに似ているかと問われれば、その一番の理由に町の狭さを挙げたい。

ヴェネツィアを訪れたことがある方ならおわかりになるだろうが、かの海洋都市には大通りが一本もない。最も広いのは、大運河（カナル・グランデ）と呼ばれる水の道路である。

道路であるが水路でもあるので、そこには大小の船が行き交っている。しかも、京都のようにバスが主要な乗り物なのだ。水上バスはヴァポレットと呼ばれる。有名なゴンドラも、もちろんこの大水路に乗り入れる。

ヴェネツィアの町中の道は細く曲がりくねっている。だから、自動車は一台も走っていない。自動車はともかく、京都と似ている点には、その道の狭さも当てはまる。

京都が京都らしいと感じさせるキーポイントは、「狭さ」ということにある。狭いところに人が集中して、押し合い圧し合いするところに熱量が生じる。もちろん東京の通勤ラッシュのような混み方は、かえって他人への憎しみを育てるだけでマイナスだが、ほどの混み方というところに、人間の温かさが沁《し》み出す秘密がある。

先斗町と錦市場《にしきいちば》は、狭さの快楽の極致である。木屋町も、祇園も、新京極通も狭い。四条通や河原町通のようなバス通りでさえ、東京の目抜き通りと比べるとかなり狭い。大阪も狭いアーケード街、飲食街には事欠かないが、京都とはまた違った大都市的空間のなかで、人々は孤独だ。街自体が広すぎる。もっと狭くなければいけない。だから大阪がニューヨークとすれば、京都はヴェネツィアなのである。

京都は町並み保存の規制が厳しい都市である。その規制下でも、町並みがどんどん変わっていってしまっている。一方のヴェネツィアでは、何百年前の風景と同じ外観が保持されている。

　石造りの町なのでそれが可能だとも言えるが、市のとてつもなく厳しい法律で、補修以外の変更が禁止されているということが大きい。色も勝手に塗り替えてはいけない。内部のリフォームは認められているが、それも市の審査を通ったらということらしい。そこまで厳しく規制しないと、町の姿は保持できないと教えられるのだ。

　もう一つ共通点がある。京都のお地蔵さんの祠の多さについて第二章で述べたが、ヴェネツィアの町を歩いていて、いたるところで目につくのはマリア像である。カトリックの「マリア信仰」から来る、マリア像あるいは聖母子像である。街角の祠だったり、お屋敷の塀《へい》の上から幼子を抱いて屹立《きつりつ》していたり、壁に彫られたレリーフだったりと、様々な形で出現する。一つの街区ごとに教会があるほど教会の数の多い都市なので、日曜日のミサは当然として、日常生活のなかでマリア様の前で十字を切ることが習慣になって

ヴェネツィアの町中にある「聖母子像」

いるのだ。

ヴェネツィアのマリア様の祠は、京都のお地蔵さんの祠に重なって見える。二つの古都に共通項があるとすれば、「信心」ということになるだろう。二つの都市の信心が、商売繁盛の願いのためだけではないことは明らかだ。

現代では形だけの信心に変質してしまっているかもしれないが、そもそも信心は形から入るものである。そして、信心がなにがしかの影響を、子供たちの心の生育に与えていることは否定できないと思う。真なるもの、善なるもの、美なるもの、すなわち真・善・美を育てていることは間違いがない。

変貌していく京都の町並み

その京都でさえ、町の風景の変貌を余儀なくされているというのも現実である。

京都に暮らし出して二年目のことだったと思う。私のマンションの目の前の二条通、その西北方向の場所で、豪華な分譲マンションの建築が始まり、瞬く間に出来上がった。京都を意識した和のムードたっぷりな外観である。私もジャンボ宝くじでも当たっていれば、一部屋購入したいと思うようなマンションである。立地がとにかくいい。

もっと驚いたのは、前述したように私の住まいから一番近い神社である白山神社の隣に、高層のホテルが建ったことである。麩屋町通にそのホテルはできたのだが、眼下に平屋の小さな神社を見下ろす気分はいかなるものだろうか。本当におもちゃのような小さな神社なので、神社の前からホテルを見上げると絶壁のようにそそり立っている。ホテルの部屋から神様を下に見て、罰が当たらないだろうかと本気で心配してしまう。

このあたりは、御所南という地元民にも人気の地域であり、元は町家がずらりと並んでいた場所だ。だが、地主が町家を維持できなくなって、銀行から借金してワンルームマンションに建て替えたり、デベロッパーに土地を売却したりするケースが日常化している。私が入居していたワンルームマンションがいい例で、五階に住んでいるオーナー一家は、この場所で八百屋を営んでいたらしい。

ワンルームマンションは土地が狭くても建設可能だが、分譲マンションやホテルは大規模な地上げが要求される。建設工事があちらこちらで始まって、槌音《つちおと》が止むことがない。散歩していると、ここもそうかという感じで、どんどん普通の一軒家が失せていっている姿は、一種悲惨な思いを起こさせる。

実は京都は現在でも、市街地の景観保持のために細かい条例を設けてはいる。素人が読んでも、すんなりとは頭に入ってこないほど複雑な規則がある。新築マンションの和風の構えも、その規則に則《のっと》ったものなのだそうだ。高さ六〇メートルまでというのは、ずっと変わっていない。今やすっかり昔語りになってしまった京都ホテルオークラ建設時の論争については、もう話題にも上らないが、このホテルが規制ギリギリの六〇メートルだった。

そんな規制はなされているが、町がどんどん変貌していっていることも事実なのだ。二〇一八年一月の産経新聞の記事によると、年平均八〇〇軒、一日二軒の割合で京町家が消滅しているという。祇園祭を支える町の一つは、住民の八割がマンション族になってしまったため、祭りを支える人が、全住民のたった一割にまで落ち込んでしまったとも。

京都市は、以前から家屋維持に補助金を出しているが、さらに「京都市京町家の保全及び継承に関する条例」を施行し、解体前の届け出を希望している。ただ、これは努力規定で義務ではないため、届け出なしの解体も多いそうだ。市からの補助金は一軒当たり三〇万円ほどで、とてもその程度の額では維持はできかねるのだろう。行政が一般住宅を一〇〇万円単位で補助することは、平等性からも難しいという。

ヨーロッパの石造りの住宅と違って、京都の家はほとんどの部分が木材でできている。火事になれば燃えてしまうし、経年の劣化にも弱い。「京町家再生研究会」なる民間組織も活躍しているが、今後の見通しは明るくないだろう。

京都市は、大通り沿いの高さ規制を緩めたりしていて、経済性や居住性にも配慮しているようだが、景観保持と環境維持との対立はこれからも続くに違いない。

どのくらい京都人になったのか

さて、私はどのくらい京都人になったのか？と問うことさえ、京都育ちの方々からすると、噴飯物《ふんぱんもの》かもしれない。所詮「にわか」京都人に過ぎないのだ。

しかし、たとえば、「寒い」と言うときに、東京では強弱をつけずに平坦に発音するところを、こちらでは頭の「さ」にアクセントを置くのに影響され、いつしか私も京都風に染まってはいる。京都特有の「○○してはる」という言葉遣いも、ときどきするようになっている。

さすがに「○○どすか」というような舞妓言葉をまねすることはないが、東京でもときに意識的に京都の言葉をしゃべっている。大学での授業も、関西言葉ですることが多かった。京都というより、大阪や神戸の言葉に近かったのかもしれない。

二、三年前に淡路島出身の女性編集者と会話していたときに、盛んに関西言葉を使った。いや、そのつもりだった。彼女は笑いながら、「そのおかしな関西弁、やめていただけませんか」と。私は少年時代に神戸で過ごした時期もあるので、そもそも関西弁に抵抗がなかったのだが、やはり身についてはいないようだ。

私のマンションの近く、寺町通に一軒の料理屋がある。Fという店だ。ずいぶんと長いこと、この場所で商売してきたような構えの店である。入り口脇の狭い地面に竹を植えているが、その竹の感じからわかるのだ。

一度だけこの店の客になったことがある。見るからに京都人という大将の話が面白かった。神戸が好きだ、住んでもいいと言ったときに、「神戸は住宅しかないでしょう」と返された。大げさに言うと、雷に打たれた気持ちだった。そうか、神戸は住宅街なのだ、それはすなわち京都はそうではないということだ。京都は人が住むだけの町ではないのだ。京都は特別な土地なのだ、と主人は語ったのである。

京都の寺町通と三条通の交差するところに立つ、牛肉の「三嶋亭」の店舗は、昔から京都のランドマークである。そこから寺町通を下るとか、三条通を東西に折れるとか、新京極通に入るとか、観光客が「京都らしさ」を感じる地域である。

三嶋亭を背に周囲を見渡すと、「いかにも京都」という老舗店の合間合間に、いくつもの新興の店が割って入っていることがわかる。これでは、京都の町並みとして失格ではないかとも考えてしまうが、意外にもそこには京都の雰囲気が色濃く漂っている。

京都が京都であるのは、この目に見えない京都独特の空気にあるのではないか。京都が京都であること、そこに身を置く楽しさというものが確かにある。京都で短期間だが暮らしてみた私には、その空気が目で見えるほど濃厚に思い出せる。

京都の良さは、東京で銀座などの代表的繁華街を歩くとすぐに気がつく。京都に比べると、東京は大きいのである。道路が広くて、もちろん車の往来は激しく、ビルは高くて、立ち並ぶ店も真新しく、無機的な顔を並べている。繁華街ではあるが、観光地ではなく、ここもまたビジネスの街なのだと感じさせる。

人間たちは、そこでは通行者でしかなく、町は他者そのものであるから、向こうから近寄ってはこないし、抱き寄せられるような気分を味わうこともない。

京都は観光の町であるから、東京と違って当然だと言われるかもしれない。その通りである。だが、その通りだからこそ、東京よりも京都の温かい町並みのなかで暮らすほうが、はるかに幸せだと思える。

しかし、である。京都に住むことに、さらに京都人になることになんの問題もないのだろうか。四年暮らしただけで、私は純粋京都人になったわけではない。先ほども述べたように、「にわか京都人」である。町内会の皆さんと共同で掃除をしたり、地蔵盆を催したりしたことがない。隣近所の方々と、一切交流はしていない。

賃貸マンションの住人だからできたことで、町家暮らしであれば当然、様々な義務が生じてくる。このときには、本当の地付きの京都人というものを知ることになっただろう。だから、私は「にわか」仕立ての京都人であり、一瞬にして通り過ぎる者の一人であったわけだ。

どの土地でも、地付きの人間は癖がある。特に京都人は綺麗に言えば奥が深い。だが、本音が見えないとも言える。大阪人の作家・眉村卓《まゆむらたく》は、私が京都に住むことになったと報告すると、折り返しの葉書で、「京都のやさしさに騙されないように」と忠告をしてくれた。冗談半分ではあるが、大阪人にとっても、京都人の心中は測りづらいものがあるのだろう。

町が好きなことと、その町に実際に住んでからの思いとは、必ずしも一致しない。移り住んだあとに、こんなはずではなかった、自分は何を見ていたのだろうと後悔することもあるかもしれない。そんな京都に住んでいいのだろうか。

もちろん、住んでいいのである。

その土地を知るためには、旅行するのではなく、たった四年でも住んでみること。人生の醍醐味がそこにある。「はじめに」でも述べたサントリー創業者・鳥井信治郎の言葉を借りて、皆さんにメッセージを贈るとすれば、「やってみなはれ、住んでみなはれ」ということになるだろう。

この四年の間にも、外国人観光客の増加は、じかに見ていて強く感じることである。京都新聞の二〇一九年三月の記事では、外国人観光客の増加が影響して、日本人観光客の数を大幅に減らしてきていると報じている。

「観光地や交通機関の混雑が広く知られるようになった」とか、「京都のホテルはいつも満室」と思い込んでしまっているためという。それだけ外国人旅行者、言うところのインバウンドの威力が凄いということだろう。

どんどん異国民が押し寄せている。ヴェネツィアで働いている人たちの半分以上が、対岸の本土から通っているように、洛中の純粋京都人は、どんどん中心部から出て行き、観光客、短期間暮らす学生、単身赴任者や新参の「にわか京都人」ばかりがのさばる時代が、訪れるかもしれない。

新しい京都の町ができつつあることは否定できない。それが京都人の望む形であろうがなかろうが、世の中は動いていく。

それでも、京都は京都なのである。

おわりに

人生には考えもしなかった意外な出来事が起こるものである。出版社の新潮社で定年を迎える前後、京都には二度ほど妻と旅行で訪れている。二人とも京都が好きだったからで、まだ見残した寺社がたくさんあり、ホテルグランヴィア京都が特別料金で安くなる時期を狙って来ていた。

もちろん、観光客としてだから、嵐山渡月橋や大徳寺などの名所を巡り、夜は、たとえば祇園縄手通の老舗料理屋で水炊きを食べるというようなことをして、観光客の京都を楽しんだ。「イノダコーヒ」の本店や三条店に必ず立ち寄り、御菓子司「亀末廣」で「四畳半」を買い求めるというような旅行であった。

生涯旅行者で終わるはずの人生に、京都勤務という偶然が訪れ、さらに京都暮らしというおまけがもたらされた。本当に人の運命とは予測がつかないものである。

大学の勤めが終わると同時に、本来なら京都市とはひとまず縁が切れるはずであったが、教員生活があと半年余りという二〇一八年八月に、一通のメールが届いた。京都新聞の営業部長からであった。京都市が京都新聞と大垣書店の協力を得て、「京都文学賞」を創設したいと計画中であること。そして、私に力を貸してほしいというのがその内容であった。私は文芸編集者時代に、三つの新人文学賞を立ち上げた実績があった。それを聞き込んだ京都市の方々から、この依頼があったというわけである。もちろん、その依頼を喜んで受けた。私は、現在この賞のアドバイザー兼選考委員という席に就いている。

京都文学賞は、二〇一九年四月に正式に発足し、募集を開始した。九月末の締切りには、半年の募集期間にもかかわらず、五〇〇篇以上の応募をいただいた。あらためて、京都という都市の魅力がいかに大きいか驚かされたものだ。

本書の担当編集者、イースト・プレスの木下衛氏との関係も、不思議な縁でつながった。木下氏が大学気付で、一冊の本と手紙を送ってくれたことから始まったのだ。彼が担当した書籍に同封されていた手紙には、私の著作『作家という病』（講談社現代新書）を読んだ感想が述べられていた。

東京でその後会ったときに、二〇代の彼が古い文芸の世界のことに非常に詳しいことがわかった。この編集者と将来仕事ができたら嬉しいな、と感じたものだ。その機会がこれほど早くやってくるとは、やはり人生は予測ができない。

さらに、超多忙な合間を縫って、本書の帯に推薦の言葉を寄せていただいた磯田道史《いそだみちふみ》氏にも感謝を述べたい。東京で知り合った磯田氏が、私に少し遅れて京都の住人となられたことも、やはり不思議な縁である。

最後になるが、私が京都を去ったあとの二〇一九年七月に起こった「京都アニメーション放火事件」で、輝かしい未来を断たれてしまった三六人の御霊《みたま》に、謹《つつし》んで哀悼《あいとう》の気持ちを捧げておきたい。

二〇二〇年二月吉日
校條剛

イースト新書
123

にわか〈京都人《きょうとじん》〉宣言《せんげん》

東京者《とうきょうもの》の京都《きょうと》暮《ぐ》らし

2020年4月15日　初版第1刷発行

著者
校條剛《めんじょうつよし》

編集
木下衛

発行人
北畠夏影

発行所
株式会社
イースト・プレス
〒101-0051
東京都千代田区神田神保町2-4-7久月神田ビル
Tel:03-5213-4700　Fax:03-5213-4701
https://www.eastpress.co.jp

装丁
木庭貴信+岩元萌
（オクターヴ）

本文DTP
臼田彩穂

印刷所
中央精版印刷株式会社

PRINTED IN JAPAN
ISBN978-4-7816-5123-1